この一冊で面白いほど身につく！

大人の国語力大全《たいぜん》

This book has it all!
Japanese Encyclopedia for Adults

話題の達人倶楽部［編］

青春出版社

「できる大人」はこのポイントを外さない！
自由自在に日本語を操るための最強ツール登場！ ――はじめに

メールを送ったり、ブログを書いたりと、「最近、文章を書く機会が前よりも増えた」と感じている人は多いと思います。そんななか、友人宛てのメールなどで、話し言葉に近いカジュアルな文章ならスラスラ書けるのだが、「改まった文章を書くのは、もうひとつ自信がない」という人が多いようです。また、読むほうでも、「硬めの文章を読むのは、ちょっと苦手」という人もいるでしょう。

じっさい、ふだんの話し言葉で使われている言葉は、日本語全体の語彙の５％に過ぎないといわれます。つまり、大多数の言葉は、日常会話では使ったり、触れたりする機会がないというわけです。

だから、取引先にメールを打つときなどに正しい文章を書き、仕事の調べ物などで硬めの文章を読むためには、「大人の国語力」を身につけるトレーニングが必要です。そのトレーニングを怠ると、慣用句を使い間違ったり、漢字を誤読して、恥ずかしい思いをすることになってしまいます。

では、大人としては、どの程度の国語力を身につけておけば、十分といえるのでしょうか？

私たちは、次の三つの力を合わせもつことが、一つの目安になると考えています。

第一には、新聞・雑誌、そして比較的読みやすい小説なら、スラスラ読める力。

第二には、Ａ４一枚程度の報告書や企画書、ちょっと長めのメールなら、そう苦労せずに書ける力。

そして第三には、目上の人とも、恥をかくことなく会話する力です。

もちろん、これら三つの国語力のベースとなるのは「語彙力」です。一つひとつの言葉の読み方・意味・使い方をしっかりマスターしていれば、そうはみっともないことには、ならないはずです。

とりわけ、日本語は〝落とし穴〟の多い言語。たとえば、ついうっかり次のような落とし穴にはまってはいないでしょうか？

〔問題1〕次の文章のどこがおかしいか、おわかりでしょうか？

1　「大胆な意見が物議を醸し出す」

2　「事件の犯人に目鼻がつく」

1は、ブログなどでよく見かける誤用。いただけないのは〝物議を醸し出す〟という言葉で、正しくは「物議を醸す」。慣用句なので、一部を勝手に変えることはできません。「醸し出す」のは「雰囲気」のほうです。

2の「目鼻がつく」は、「ビル完工に目鼻がつく」など、物事がおおよそ出来上がり、見当がついたときに使います。ここでは「目星がつく」を用いたいところです。

もちろん、日本語の落とし穴は、書き言葉だけでなく、話し言葉にもひそんでいます。いちばんの難関は、ご承知のように敬語です。以下の三つは、いずれも〝ヘンな敬語〟。正しく直してみてください。

〔問題3〕

1　「Aさんが申されたように」
2　「Bさんはおられますか？」
3　「Cさんは、いつ帰ってまいられますか？」

それぞれの正解（文法的に正しく、過不足のない敬語）は、

1「Aさんがおっしゃったように」

2「Bさんはいらっしゃいますか？」

3「Cさんは、いつお帰りになりますか？」

そう改めなければならない理由は、本文で詳しくご紹介しましょう。

というわけで、日本語には、書き言葉にも話し言葉にも、うっかり間違いやすいポイントが無数に潜んでいます。本書では、慣用句や敬語のほかにも、誤読しやすい「漢字」、正確に使いこなしたい「四字熟語」「ことわざ」、変換ミスしやすい「同音異義語」など、ミスを犯しやすい日本語を約１５００語取り上げました。

この本であなたの「大人の国語力」を総チェックしていただければ幸いに思います。

２０１２年12月

話題の達人倶楽部

この一冊で面白いほど身につく！　大人の国語力大全■目次

目　次

DTP▼フジマックオフィス

Step 1

表現力が200%アップする！できる大人の慣用句

1 さりげなく使ってみたい言葉

□**好事魔多《こうじまおお》し**……よいことには、とかく邪魔が入りやすいことをいう。「結婚し、家を建てたものの、好事魔多しで転勤になった」などと用いる。

□**気脈《きみゃく》を通《つう》じる**……ひそかに連絡を取り、意思疎通を図ること。「気脈」は本来、血液の流れる道筋のことで、そこから人と人との間での感情や考えなどのつながりを意味するようになった。

□**一矢《いっし》を報《むく》いる**……相手の攻撃に反撃し、わずかでも仕返しをすること。「終了間際のゴールで、一矢を報いた」などと用いる。「いちやをむくいる」と誤読しないように。

□**水泡《すいほう》に帰《き》す**……せっかくの努力が無駄になること。「たった一つのミスで、これまでの努力が水泡に帰すこととなった」などと使う。

□**発破《はっぱ》をかける**……激しい言葉をかけて、奮い立たせること。気合を入れること。「発破」は、採石現場などで岩石や鉱石を爆破する爆薬のこと。

□**薄氷《はくひょう》を踏《ふ》む**……非常に危険な場面に臨むことのたとえ。「賛成票がわずかに反対票を上回り、推進派が薄氷を踏むような勝利を収めた」などと使う。

□**阿吽《あうん》の呼吸《こきゅう》**……二人以上で一つのことをするとき、気持ちが一致する絶妙のタイミングのこと。「阿吽」は、吸う息と吐く息。

□**湯水《ゆみず》のように使《つか》う**……湯や水を使うように、金などを惜しげもなく使うこと。「交際費の名目で、会社の金を湯水のように使った」などという。

□**向《む》こうを張《は》る**……競り合うこと、対抗すること。「ライバル会社の向こうを張って、わが社も営業に力を入れている」などという。

□**夜《よ》を日《ひ》に継《つ》ぐ**……昼夜の区別なく、物事を行うこと。「皆が夜を日に継いで取り組んでくれたおかげで、納期に間に合いそうだ」などと使う。

□**水《みず》を向《む》ける**……相手の気を引くよう、それとなく誘いかけること。巫女《みこ》が霊を呼び出すときに、水をさし向けたことから。

□**お釈迦《しゃか》になる**……つくりそこなうこと。もとは、鋳物職人の隠語で、地蔵を鋳るつもりが間違って釈迦像を鋳てしまったところから、「お釈迦」に「出来損ないの品」という意味が生まれたといわれる。

□**顰《ひそ》みに倣《なら》う**……善悪も考えず、やたらと人の真似をすること。または、他人にならって同じようなことをするとき、謙遜していう言葉。

□**横車《よこぐるま》を押《お》す**……無理を通すこと。理不尽な、道理に合わないことを強引に進めること。「横に車を押す」ともいう。「押す」が正しく、「横車を入れる」は誤り。

□**一頭地《いっとうち》を抜《ぬ》く**……頭の高さだけ他より抜け出ること。多くの中で一段と傑出している様子。「彼の業績は、同期社員の中で一頭地を抜いている」などという。

□**緒《しょ》に就《つ》く**……物事に着手すること。または、物事が始まって軌道に乗り始め、見通しがつくこと。「緒」はいとぐちの意味で、「しょ」と読むのが正しい。

□**節《せつ》を曲《ま》げる**……自分の意志を曲げて人に従うこと。「節を折る」「節を屈する」も同じ意味。「節」は、自分の信念や志のこと。「ふしを曲げる」と読まないように。

2 どんな状況？　どうすること？①

□**灰燼《かいじん》に帰《き》す**……跡形もなく燃え尽きてしまうこと。火事ですっかり焼けてしまうこと。「国宝の社殿が火事のために灰燼に帰した」などと使う。

□**語《かた》るに落《お》ちる**……人から問われたときは注意しているが、自分から語るときに油断して本当のことを言ってしまうこと。「問うに落ちず語るに落ちる」の略。

□**委曲《いきょく》を尽《つ》くす**……物事の事情や状態について、その詳細までを明らかにすること。「委曲を尽くした説明が行われた」など。「委」も「曲」も「詳しい」という意味。

□地団駄《じだんだ》をふむ……怒ったときや悔しいときに、激しく地面を踏み鳴らすこと。また、非常に悔しがることのたとえ。「あと一歩で電車に乗り遅れて、地団駄をふんだ」など。

□板《いた》につく……仕事に慣れ、態度や立ち居振るまいがその地位や職業にふさわしく、それらしくなること。また、服装などがよく似合う様子。

□逆捩《さかね》じを食《く》わせる……非難を受けたり注意されたりしたとき、反対にその相手を問いつめたり、非難し返したりすること。

□裃《かみしも》を脱《ぬ》ぐ……堅苦しい態度をやめて、くつろいだ気分でうちとけること。「今日は裃を脱いで話し合いましょう」など。

□云々《うんぬん》する……あれこれと批判したり、とやかくいったりすること。「済んだことを云々しても仕方がない」などと使う。

□**一石《いっせき》を投《とう》ずる**……水面に石を投げると波紋が次々に広がっていくように、人々の反響を呼ぶ問題を投げかけること。「彼の小説は文壇に一石を投じた」など。

□**Z旗《ぜっとき》を掲《かか》げる**……ここ一番の勝負というときに、メンバーに対して檄《げき》を飛ばすこと。「Z旗」は日露戦争以降、旧日本海軍が重要な海戦時に、戦意昂揚のために掲げた旗をさす。

□**管《くだ》を巻《ま》く**……訳の分からない不平や不満をくどくどと繰り返しいうこと。とくに、泥酔してつまらないことを延々と言う場合に使う。「あいつは酔うといつも管を巻く」など。

□**逆鱗《げきりん》に触《ふ》れる**……激しく怒らせたり機嫌を損なわせたりすること。通常、目下の者が目上の者に対して使う。「不用意な発言で、社長の逆鱗に触れてしまった」など。

□**前車《ぜんしゃ》の轍《てつ》を踏《ふ》む**……前の人と同じ失敗を繰り返してしまうこと。「前轍を踏む」ともいう。「前車の覆《くつがえ》るは後車の戒め」という成句から。「前者」と書くのは誤り。

□口吻《こうふん》を漏《も》らす……話し方から、心の内がそれとなく相手に伝わるような物のいい方をすること。「まるで自分は悪くないかのような口吻を漏らした」など。

□辛酸《しんさん》を嘗《な》める……「辛酸」は辛い思いや苦しみのこと。大変な苦労を重ねたり、辛い目にあったりすることをさす。同じ意味に「苦杯を嘗める」がある。

□茶を挽《ひ》く……芸者や遊女などが、客がなくて暇なことをさすたとえ。客の付かない遊女に臼で茶葉を挽く仕事をさせたことから。

□星霜《せいそう》を経《へ》る……「星霜」は年月、歳月。年月が経つこと。歳月を重ねること。星は一年に天を一周し、霜は年ごとにおりるところから「故郷を離れてから、半世紀の星霜を経た」などと使う。

□荼毘《だび》に付《ふ》す……死者を火葬にすること。「故人の生前の意思によって、葬儀は執《と》り行わず、荼毘に付すだけの簡素なものとしたい」などと使う。

□**半畳《はんじょう》を入《い》れる**……他人の言動に対して、冷やかしたりヤジを入れたり、またからかったり茶化したりすること。似た意味の言葉に「茶々を入れる」がある。

□**弓《ゆみ》を引《ひ》く**……手向かったり反抗したりする。敵対する。「恩師に弓を引くような彼の態度は許せない」など。

□**煮《に》え湯《ゆ》を飲《の》まされる**……信用していた者に裏切られて、ひどい目にあうこと。裏切られることのたとえなので、ライバルや競争相手に使うのは誤り。

□**熨斗《のし》を付《つ》ける**……喜んで他人に与えること。とくに欲しがっている者に進呈する場合に使う。「こんな古い物でよければ熨斗を付けて差し上げます」などという。

□**踏鞴《たたら》を踏《ふ》む**……勢いあまって、止まろうとしながらも、数歩余計に歩いてしまうこと。「地団駄をふむ」とは、意味が異なるので注意が必要。

□**舟《ふね》を漕《こ》ぐ**……居眠りをすること。とくに、頭や体を揺らして居眠りをする様子。「昨日の徹夜が響いて、会議で舟を漕いでしまった」などと使う。

□**天《てん》に唾《つば》する**……他人に害を与えようとして、かえって自身に害が及ぶことのたとえ。「天を仰いで唾する」「天に向かって唾す」ともいう。同じ意味の言葉に「自業自得」「身から出た錆」など。

□**めくじらをたてる**……目をつり上げること。ささいな失敗を取り立てて罵《ののし》ったりすること。「彼は部下のすることに、いちいちめくじらをたてる」などと使う。

□**掉尾《ちょうび》を飾《かざ》る**……物事の最後を締めくくること。「掉尾」とは物事の終わりをさす。正しくは「ちょうび」と読むが、現在は「とうび」が慣用読みとして一般的になっている。

□**物議《ぶつぎ》を醸《かも》す**……世間の人々の議論、または騒ぎ、噂などを引き起こすこと。「あの有名選手の暴露本は、日本のサッカー界に物議を醸すであろう」などという。「物議を醸し出す」はよくある間違い。慣用表現の一部だけを変えてはダメ。

□**毒気《どくけ》に当《あ》てられる**……相手の、人を食ったような、図々しい言動にあっけにとられること。「一癖ある人が多く、すっかり毒気に当てられてしまった」など。

□**真綿《まわた》で首《くび》を締《し》める**……時間をかけて、遠回しにじわじわと責めたり痛めつけたりすること。「真綿で首を絞めるように追いつめられた」など。

□**生木《なまき》を裂《さ》く**……愛し合っている男女の間を無理に引き離すことのたとえ。「生木を裂くような別れ」などと使う。

□**味噌《みそ》を付《つ》ける**……失敗して評判を落としたり、面目を失い、醜態をさらすこと。「彼の場違いな発言が、せっかくの式典に味噌を付ける結果になった」などという。

3　どんな状況？　どうすること？②

□**押《お》っ取《と》り刀《がたな》でかけつける**……急な知らせを受けて、とるものもとりあえず、急いで駆けつける様子。刀を腰にさす余裕もなく、手に持ったままかけつけることから。

□**片腹痛《かたはらいた》い**……ばかばかしく、こっけいであること。相手の態度をあざける言葉。おかしいときには、片方の脇腹が痛くなることから。「身のほど知らずで片腹痛い」などと使う。

□**油紙《あぶらがみ》に火《ひ》が付《つ》いたよう**……ぺらぺらと、よくしゃべるさまをいう。油紙に火を付けると、すぐによく燃えることから。江戸時代から使われてきた言い回し。

□**芋蔓式《いもづるしき》**……一つの事柄から、関連するものが次々と明らかになること。芋のつるをたぐると、次々と芋が掘り出せることから。「隠されていた事実が芋蔓式に明らかになる」などという。

□**臆面《おくめん》もなく**……遠慮や気後れもない様子。ぬけぬけとずうずうしいさま。「彼は臆面もなく、出された料理をすべて平らげた」などと使う。

□**ぞっとしない**……それほど面白くもなく、感心もしない。つまらない。恐怖などにおののく意味の「ぞっとする」の反対語ではなく、「ぞっとしない話」などと使う。

□**如才《じょさい》ない**……気がきき、落ち度がない様子。もともとは褒め言葉だったが、現在では

「抜け目なく立ち回る、要領のよい人」として、やや否定的な意味で使われることもある。

□**科《しな》を作る**……女性が、媚びを含んだ色っぽい動作・様子を見せること。この「科」は愛敬やなまめかしいしぐさを意味する。

□**けんもほろろ**……取りつく島もない様子。頼み事や相談を、つれなく断るさま。「けんもほろろの挨拶」「けんもほろろに断られた」などという。

□**にべもない**……愛想がまったくなく、そっけない様子。取りつく島もない。「にべもない返事」「にべもなく、申し出を断られる」などと使う。

□**所在《しょざい》ない**……何もすることがなく、手持ちぶさたである。退屈している。「所在なさげに座っている」「所在ない日々を送る」などと使う。

□**砂《すな》をかむよう**……何の味わいもなく、まずいことのたとえ。面白みがなく、うんざりすることをいう。「退屈な映画に砂をかむような思いをした」などと使う。

□**渋皮《しぶかわ》がむける**……女性があかぬけて、姿かたちがきれいになる。渋皮をむいた栗のように、顔や肌が美しくなる。また、物事に手慣れてうまくなること。

□**のっぴきならない**……切羽詰まって、身動きがとれない。避けることもしりぞくこともできず、ぬきさしならない様子。「のっぴきならない事態」などと使う。

□**間尺《ましゃく》に合《あ》わない**……割に合わず、損になる。損得計算が釣り合わない。「間尺」とは、建築物などの寸法のこと。「間尺に合わない仕事」などと使う。

□**尻《しり》がこそばゆい**……やたらとほめられて、気持ちが落ち着かない。また、気がとがめて落ちつかない様子。「それほどほめられると、尻がこそばゆい」などという。

□**満《まん》を持《じ》す**……準備万端整えて、機会を待つ。この「満」は、弓をひきしぼった状態。十分に弓をひきしぼったまま、矢を放つときをうかがうことから。

□**端無《はしな》くも**……何のきざしもなく、物事が起こるさま。思いがけず、偶然に。図らずも。

「端無くも、二人の秘密がばれた」などと用いる。

□**貧《ひん》すれば鈍《どん》する**……貧乏をすると、心まで貧しくなるという意味。生活が苦しいことから、どんな人でもさもしい心を持つようになるということ。

□**ぺんぺん草《ぐさ》が生《は》える**……家などが荒れ果てる様子のたとえ。ぺんぺん草（ナズナのこと）が、放置すると次から次へと生えることから。

□**綿《わた》のよう**……非常に疲れて、ぐったりしている様子。くたくたになる。おもに「綿のように疲れる」の形で使う。綿には筋や骨もなく、くたっとしていることから。

□**三拍子《さんびょうし》そろう**……三つのよい条件がそろっている状態。「心技体の三拍子が揃った横綱」などという。

□**割《わ》れ鐘《がね》のよう**……太くて濁った大きな声のたとえ。だみ声の形容。割れてひびが入った鐘の音に似ていることから。「割れ鐘のような声」などという。

4 できる大人が使いこなす定番フレーズ

□**後塵《こうじん》を拝《はい》する**……他人に先んじられること。または、優れた人物につき従うこと。「後塵」は、人や車などが通り過ぎたあとに立つほこりのこと。

□**薄紙《うすがみ》を剥《は》ぐよう**……病気が日ごとに少しずつよくなっていくさまをいう。「手術後、薄紙を剥ぐように体調が回復していった」などと使う。

□**波《なみ》の花《はな》**……波の白い泡立ちを花にたとえた言葉。そこから「塩」の意味にも使われる。塩の「し」が「死」に通じることを忌んで言い換えたもの。

□**有卦《うけ》に入《い》る**……巡り合わせがよくなって、いいことばかり続く状態。「有卦」は陰陽《おんみょう》道《どう》で幸運な年回りのこと。

□**剣突《けんつく》を食《く》わせる**……荒々しく、叱りつけること。とげとげしく拒否すること。「剣突」は、邪険に叱りつけること、荒っぽい小言のこと。

□**弓折《ゆみお》れ矢尽《やつ》きる**……能力の限界まで戦って敗れること。あるいは力が尽き、それ以上手立てがない様子をいう。「刀折れ矢尽きる」ともいう。

□**山葵《わさび》が利《き》く**……気の利いた表現などで、ピリッと引き締め、人の心を打つ様子。料理に添えたワサビによって、料理そのものの味も引き立つところから。

□**いまわの時《とき》**……最期のとき。死に際のこと。「いまわの際《きわ》」も同じ意味。「いまわ」は、今はかぎりという意味。

□**算《さん》を乱《みだ》す**……この「算」は、易で卦《け》を表す四角い棒「算木《さんぎ》」のこと。算木を散かしたかのように、ちりぢりばらばらになること。「算を乱して逃走」など。

□**歯牙《しが》にもかけない**……まったく問題にしないこと。無視すること。「これまでは大国が歯牙にもかけなかった小国」などという。

□**飴《あめ》をしゃぶらせる**……相手をその気にさせるため、利益を与えたり、甘い言葉でおだてること。または勝負事などで、わざと負けて相手を喜ばせること。

□**噛《か》んで含《ふく》める**……よくわかるよう、丁寧に言い聞かせること。食べ物を消化しやすいよう、親がまずよく噛んで柔らかくしたのち、子どもの口に含ませてやったことから。

□**事《こと》を分《わ》ける**……筋道を立てて言うこと。この「事」は事情を意味し、「分ける」は正しいことと正しくないことを区別すること。

□**狼煙《のろし》をあげる**……大きな事のきっかけや合図となる行動をすること。漢字で「狼煙」と書くのは、狼のふんを燃やしたからと言われる。

□**メートルをあげる**……酒に酔って気炎を上げること。「昨晩の酒席では、メートルがあがりすぎて、喧嘩になりそうだった」などという。

□**賽《さい》の河原《かわら》**……冥土に至る途中にあると信じられている河原のこと。ここでは、小児が小石を積んで塔をつくろうとするが、すぐに鬼に壊されてしまうという。そこから、無駄な努力のたとえ。

5 たしなみが匂う粋な言葉

□**鹿島立《かしまだ》ち**……旅に出ること。門出。かつて辺境の防衛に向かう防人《さきもり》が、鹿島神宮に途上の安全を祈ったところから生まれた言葉といわれる。

□**卒爾《そつじ》ながら**……突然で失礼だが、という意味。人に声をかけるときのかつての決まり文句。「卒爾」には、だしぬけ、無礼、かるはずみといった意味がある。

□**音《おと》に聞《き》く**……世間によく知られている。噂に聞くという意味。「彼は、音に聞こえた剣道の名手だ」などという。

□**釣瓶落《つるべお》とし**……釣瓶を井戸の中に落とすように、まっすぐに早く落ちる様子。とくに、秋の日がたちまち沈んで暮れてしまう様子のたとえとして使う。

□**金看板《きんかんばん》を背負《せお》う**……世間に対して、何かのしるしを誇らしく掲げること。「金看板」は金文字を彫り込んだ看板のことで、転じて世間に堂々と示す主張や目印の意味になった。

□**神武《じんむ》このかた**……ずっと続いてきたこと、あるいは反対にこれまでは起きなかったことが、初めて起きたことを強調するための言葉。「神武景気」という言葉は、神武天皇の時代からみても、初めてと思えるほどの好景気という意味。

□**名《な》にし負《お》う**……名高い。その名にふさわしいという意味。「し」は強調の助詞で、「名に負う」をより強めた表現。

□**長蛇《ちょうだ》を逸《いっ》する**……惜しい獲物や大事な機会をのがすこと。「横綱を土俵際まで押し込んだがうっちゃられて、長蛇を逸した」などという。

□**鯉口《こいくち》を切《き》る**……すぐに刀を抜き出せるように、刃を少し引き出しておくこと。「鯉口」は、刀の鞘の口。断面が、鯉の開いた口に似ているところから、ついた名前。

□**虚空《こくう》を摑《つか》む**……苦しさのあまり、空中に手を伸ばして何かをつかもうと、拳を握るさま。「熱に浮かされ、虚空を摑む」などと、断末魔の苦しみを表現するときによく使う。「きょくう」と読まないように。

□**鬼籍《きせき》に入《い》る**……「鬼籍」は、死んだ人の名や死亡年月日を記す帳面。「鬼籍に入る」で、死んで鬼籍に名を記入されること、つまりは死亡すること。「鬼籍にはいる」と読まないように。

□**門前雀羅《もんぜんじゃくら》を張《は》る**……「羅」は網のこと。いつも門前では雀が遊び、網を張って捕らえられるほど、ひっそりとした様子。訪問する人もなく、寂しい家のたとえ。「門前市を成す」と混同しないように。こちらは、にぎやかなことのたとえ。

□**棺《かん》を蓋《おお》いて事定《ことさだ》まる**……人間の評価は、死んだのちに決まること。「棺を蓋う」は棺に蓋をすることで、つまりは人が死ぬこと。

□**野辺《のべ》の送《おく》り**……亡きがらを火葬場や埋葬場まで見送ること。葬送。「野辺送り」「野送り」とも。あるいは単に「野辺」ともいう。

□**短兵急《たんぺいきゅう》**……いきなり攻撃を仕掛ける様子。あるいは、出し抜けに行動する様子。「短兵」は、刀など、相手に接近して使う短い兵器のこと。

□**塗炭《とたん》の苦《くる》しみ**……泥にまみれ、火に焼かれるようなひどい苦しみ。「塗炭」だけでも、非常に苦しい境遇をいう。

□**屋上《おくじょう》屋《おく》を架《か》す**……屋根の上にさらに屋根を架けるような、無駄なことをするたとえ。「屋下に屋を架す」も同じ意味。

□**累卵《るいらん》の危《あや》うき**……「累卵」は、卵をいくつも重ねた状態。そこから、きわめて不安定で危険な状態のこと。「資金不足で事業継続は累卵の危うきにある」などという。

□**薬石効《やくせきこう》なく**……病気に対して薬や治療の効果がないこと。この「石」は、古代中国で使われた石鍼《いしばり》。「薬石効なく、他界した」などという。「薬石功なく」と書かないように。

□**杖《つえ》とも柱《はしら》とも頼《たの》む**……非常に頼みに思うことのたとえ。「杖とも柱とも頼む専務が退社し、経営状態が一気に悪化した」などと用いる。

□**伝家《でんか》の宝刀《ほうとう》**……家に代々伝わっている名刀のこと。そこから、いざというときの思いきった手段、とっておきの切り札をいうようになった。

□**切《き》り口上《こうじょう》**……形式ばった堅苦しい話し方。一句、一語ずつはっきり区切って言う口上のこと。「そんな切り口上の受け答えでは、聴衆に相手にされない」などと使う。

□**ほうほうの体《てい》**……散々な目にあって、やっとのことで逃げ出す様子。「這う這うの体」と書き、やっとのことで歩いているさまから生まれた言葉。

□**遣《や》らずの雨《あめ》**……帰ろうとする人を引き留めるかのように降る雨のこと。この「遣る」は、人を送り出すこと。

□**粋《すい》が身《み》を食《く》う**……この「粋」は「すい」と読み、さばけていること。とくに、男女や遊里の事情に通じていること。遊里や芸事の事情に通じて得意になっていると、深入りして身を滅ぼすことをいう。

□**銀流《ぎんなが》し**……見かけ倒しのまがいもののこと。もとは水銀に砥《と》の粉《こ》をまぜて、銅や真鍮《しんちゅう》などの金属になすりつけ、銀の器に見せかけたもの。

□**幽明界《ゆうめいさかい》を異《こと》にする**……死に別れること。「幽明」は、死の世界である幽界と、顕界つまりはこの世のことを指す。

6 「人」にまつわる基本の慣用句

□**不帰《ふき》の客《きゃく》**……あの世へ行ってしまい、二度と帰らない客。つまりは亡くなった人のこと。「本年、旧友の一人が不帰の客となった」などという。

□**玄人《くろうと》はだし**……素人なのに、本職をしのぐほどに技芸や学問に秀でていること。玄人が裸足で逃げ出すほどの力量であるということから。〝素人はだし〟という言葉はない。

□**山出《やまだ》し**……山から材木・薪を運び出す人に用いるが、田舎出身の人に対してもいう。

田舎から出てきたまま、洗練されない人。「山出しの田舎者」などと用いる。

□**昼行灯**《ひるあんどん》……昼に行灯をともしても、ぼんやりとするだけ。そこから、なんの役にも立たず、ぼんやりとしている人、役に立たない人をいう。忠臣蔵の大石内蔵之助《くらのすけ》は、浅野内匠頭《たくみのかみ》切腹の前には、こう呼ばれていたことで有名。

□**老**《お》**いの一徹**《いってつ》……自分の思い定めたことを押し通そうとして、他人の意見を聞こうとしないという老人の気質。「あの老政治家は老いの一徹で、この法案に断固反対の姿勢だ」などという。

□**内助**《ないじょ》**の功**《こう》……家の外での仕事を家庭内で支える妻の功績。あるいは、表立たない内側での功績。「彼の成功は、奥さんの内助の功あってのものだ」などという。

□**一言居士**《いちげんこじ》……どんなことについても、何か一言、意見を言わずには気がすまない人のこと。「彼は一言居士だから、相手にしないほうがいいだろう」などという。

□**如何物食**《いかものぐ》**い**……普通の人が食べないものを食べること。悪食《あくじき》。普通の人と異なった趣味・趣向をもつこと。「如何物」は、世間並みとは違う変なもののこと。

□**股肱《ここう》の臣《しん》**……主君の手足となって働く、最も頼りになる家来や部下。腹心のこと。「股」は腿、「肱」は肘、「股肱」で手足という意味。

□**喪家《そうか》の狗《いぬ》**……元気のない人のたとえとして用いる。中国の古典『史記』に出てくる言葉で、主人を失った喪中の家の犬とも、家を失った宿無しの犬とも解釈できる。

□**掌中《しょうちゅう》の珠《たま》**……最も愛しているもののたとえ。とくに最愛の子どもについていう。中国の詩人・杜甫の詩に「掌中貪見一珠新」とある。

□**朴念仁《ぼくねんじん》**……無口で愛想の悪い人、わからずやのことをいう。もとは、飾り気がなく、素朴にものを考える人という意味だったが、しだいによくないニュアンスに変わってきた。

□**立志伝中《りっしでんちゅう》の人《ひと》**……苦労を重ねながら、志を遂げて成功した人のこと。「立志伝」は、志を立てて努力と苦労のすえに成功した人の伝記。

□**巨星墜《きょせいお》つ**……偉大な人物が死ぬこと。「巨星」は、輝かしい業績をあげた人物のたとえ。「あの大政治家の死は、まさに巨星墜つといったところだ」などと用いる。

□**表六《ひょうろく》**……「表六玉」も同じ意味。間抜けな人を嘲っていう言葉。亀は頭、尾、足四本の六つを隠しているので「蔵六」ともいうが、間抜けな亀はその六つを表に出しているところから。

□**谷町《たにまち》**……大相撲の世界で、力士のひいき筋、後援する人のことを呼ぶ隠語。近年では相撲に限らず、各界のパトロン全般をこう呼ぶこともある。

□**横紙破《よこがみやぶ》り**……自分の意見や考えを無理に押し通したり、常識はずれのことを強引に行うこと。またその人。「彼の横紙破りなやり口にはうんざりだ」など。「横紙を裂く」とも。

□**いぶし銀《ぎん》**……見た目には派手さや華やかさがなく地味であるが、しっかりとした実力を持っていることのたとえ。「彼にはいぶし銀の魅力がある」など。

□**糟糠《そうこう》の妻《つま》**……「糟」は酒粕《かす》、「糠」は糠味噌で、粗末な食物のたとえ。貧しいころからともに苦労を重ねてきた妻のこと。「糠味噌女房」と似るが、こちらは所帯じみた妻のこと。

□**狂言《きょうげん》まわし**……物事を進めていくためには欠かせない人物のこと。主役のように目立つことはないが、進行係として重要な役割を努める人のこと。

□**太公望《たいこうぼう》**……釣り人のこと。または、釣り好きな人のこと。「鮎釣りが解禁となり、全国から太公望が集まった」などと使う。

□**鉄面皮《てつめんぴ》**……恥を恥とも思わず、あつかましく図々しい様子。また、その人を指す。「彼は本当に鉄面皮だ」など。同じ意味として「厚顔無恥」がよく使われる。

□**ちょうちん持《も》ち**……他人やある物事の長所を吹聴して回ったり、頼まれもしないのに他人を誉めたり宣伝すること。また、それをする人。あざけっていう言葉。

□茶坊主《ちゃぼうず》……権力のあるものに取り入ったり、こびへつらう者を罵っていう言葉。「太鼓持ち」も似たような意味。「あいつは部長の茶坊主だ」など。

□左利《ひだりき》き……酒を好むこと。また、その人。酒に強い人をさすこともある。「彼は根っからの左利きで飲み出したら止まらない」など。同じ意味に「左党」がある。

□ふりの客《きゃく》……料理屋や旅館などで、紹介や予約もなく訪れる客。なじみのない客。「一《いち》見《げん》の客」と同じ。「フリーの客」とするのは誤り。

7 「自然」が登場する慣用句

□呑舟《どんしゅう》の魚《うお》……舟を丸飲みしてしまうくらい、大きな魚のこと。転じて、善悪を問わず、大人物を意味する。

□秋風《あきかぜ》が立《た》つ……男女の間の愛情が冷めること。「秋」を「飽き」にかけたもので、「秋風が吹く」も同じ意味。

□**蒲柳《ほりゅう》の質《しつ》**……体がほっそりとしていて、病気になりやすい性質のこと。「蒲柳」はカワヤナギのことで、カワヤナギの葉が早く落ちることから、虚弱のたとえに使われるようになった。

□**瓢箪鯰《ひょうたんなまず》**……瓢箪でナマズを押さえようとしても、なかなか捕らえられないことから、とらえどころのない様子、そのような人。「瓢箪で鯰を押さえる」も同じ意味。

□**廊下鳶《ろうかとんび》**……用もないのに廊下をウロウロしていること。遊廓で、相方の遊女を待ちかねて廊下を歩き回る客の姿が、トンビのようだったところから。

□**猪口才《ちょこざい》**……生意気なこと。さしでがましいこと。「猪口」は小さな杯のことで、杯一杯ほどの才能しかないというたとえから。

□**秋波《しゅうは》を送《おく》る**……女性が色目を使って、男性の関心を引きつけること。「秋波」は、美人の涼しい目元、さらには女性の色っぽい目つきも意味する。

□**生《い》き馬《うま》の目《め》を抜《ぬ》く**……ずるがしこく、すばしこくて油断がならないこと。また、他人を出し抜いて利益を得ることのたとえ。「生き馬の目を抜くような」の形で使われる。

□烏合《うごう》の衆《しゅう》……規律も統一もなく、寄り集まった群衆。「烏合」はカラスの集まりの意味で、カラスの群れにはまとまりがないところから。

□馬齢《ばれい》を重《かさ》ねる……むだに年をとること。たいしたこともしないままに年をとること。自分のことを謙遜していう。「馬齢を重ね、ついに還暦を迎えます」など。

□岳父《がくふ》……妻の父のこと。自分の義父をいう場合は「岳父」、相手の義父への尊称として用いるときは「ご岳父様」とする。なお、妻の母は「丈母《じょうぼ》」という。

□獅子身中《しししんちゅう》の虫《むし》……味方のはずなのに、内部から害を与える者のこと。恩を仇で返すことのたとえ。「彼こそ今回の取り引きを妨害する獅子身中の虫だ」など。

□雀《すずめ》の涙《なみだ》……きわめて量が少ないことのたとえ。「雀の涙ほどの出演料」など。同じように量の少なさをいう「蚊の涙」という表現もある。

□**騎虎《きこ》の勢《いきお》い**……物事に勢いがついて、途中で止めにくいこと。あるいは止めてしまうとむしろ害を受けること。「騎虎の勢いでやり通すしかない」などと使う。

□**鰻《うなぎ》の寝床《ねどこ》**……間口が狭く奥行きが長い、細長くて窮屈な建物や場所。体が細長い鰻は寝床も細長いだろうという洒落から。「鰻の寝床のような店内」などと使う。

□**鹿《か》の子斑《こまだら》**……鹿の背中に見られる、ところどころに白く小さな円形の斑点がある模様のこと。単に「鹿の子」ともいう。

□**蚊《か》の鳴《な》くような声《こえ》**……蚊が飛ぶときの羽音のように、小さく微《かす》かな声のたとえ。「そんな蚊の鳴くような声では、みんなに聞こえないよ」というように使う。

□**狐《きつね》につままれる**……思ってもみなかったことが起こって訳が分からなくなり、茫然としてしまうこと。「狐につままれたような顔」という形で使われる。

□**鯖《さば》を読《よ》む**……自分の都合のいいように数を正確にいわず、ごまかすこと。「彼は五歳も鯖を読んだ」という形で年齢について使われることが多い。

□猫《ねこ》の額《ひたい》……猫は額が狭いことから、場所が非常に狭いことを形容するたとえ。「猫の額ほどの庭」などと使う。

□虎《とら》になる……ひどく酔っぱらうこと。「彼は飲ませると虎になる」など。「猫が虎になる」というと、別人のように人柄が変わることを指す。

□馬脚《ばきゃく》を露《あらわ》す……それまで隠していたことやその人の本性が、明らかになってしまうこと。みっともない欠点が露見する。「化けの皮がはがれる」「しっぽを出す」と同じ意味。

□虎《とら》の子《こ》……大事なもの。大切に秘蔵して手元から離さないもの。ものだけでなく人に対しても使う。「虎の子の貯金」「虎の子の新人」など。

□蛇《へび》の生殺《なまごろ》し……半死半生にして生かしも殺しもしないことから、物事に中途半端に手をつけた状態のまま、決着をつけずにあいまいにしておくこと。

□**鳩《はと》が豆鉄砲《まめでっぽう》を食《く》ったよう**……突然のことに驚き、目を丸くしてあっけにとられる様子。「あまりのことに、彼は鳩が豆鉄砲を食ったような顔をした」など。「鳩に豆鉄砲」とも。

□**蚯蚓《みみず》がのたくったような**……下手な字を形容するたとえ。「蚯蚓書き」とも。「この葉書の宛名は、まるで蚯蚓がのたくったような字だ」などと使う。

□**山《やま》の神《かみ》**……自分の妻のことで、とくに結婚後口やかましくなり、頭が上がらなくなった妻に対して使う。また、自分の妻の卑称として謙遜するときにも使われる。

□**いたちごっこ**……お互いに同じ事の繰り返しで、いつまでも終わりがない様子。また、悪循環する様子。「不法投棄の取り締まりをめぐるいたちごっこ」などと使う。

8 それは上手い言い方だ！――「体」を使った表現①

□**足下《あしもと》に火《ひ》がつく**……危険が自分の身辺に迫っているという意味。「足下」は、ある人のごく身近な部分のこと。「第一秘書の逮捕により、代議士の足下に火がついた」などという。

□**鼻《はな》つまみ**……人から非常に嫌われ、除け者にされること。また、その人のこと。「あいつはうちの部署の鼻つまみ者だ」などと使う。

□**肩《かた》で風切《かぜき》る**……肩をそびやかして、得意そうに歩く様子。「部長に抜擢された彼は、社内を肩で風切る勢いで歩いている」などと使う。

□**滂沱《ぼうだ》の涙《なみだ》**……とめどもなく流れ出る涙のことをいう。「滂沱」というのは雨のふりしきる様子のことで、転じて「涙がとめどもなく流れ出る様子」の形容に使われるようになった。

□**胴間声《どうまごえ》**……調子はずれの濁った声。「胴間」は船倉などの広い空間のことで、その中で叫ぶと、調子はずれの濁った声になることから。

□**したり顔《がお》**……うまくやったという顔つきのこと。「したり」は、動詞「する」の連用形

「し」に助動詞「たり」がついた言葉で、「してやったり」という意味。

□**思案投《しあんな》げ首《くび》**……首を前に傾け、深く考えること。そこから、いい考えが浮かばず、困り果てている様子もいう。「企画が不発続きで、思案投げ首の状態だ」。

□**舌《した》を鳴《な》らす**……二つの意味があり、一つは軽蔑・不満の気持ちを表す動作。もう一つは、賛美する気持ちを表す動作。かつては後者の意味だったが、今は前者に。

□**指呼《しこ》の間《かん》**……指さして呼べば答えるほど近い距離の意味。「間」は「ま」ではなく、「かん」と読む。「会社と自宅が指呼の間にある」などという。

□**舌端火《ぜったんひ》を吐《は》く**……「舌端」は、舌の先という意味。そこから「舌端」に弁舌という意味が生じ、勢い鋭く論じたてる様子、激しく論じる様子をいう。

□**総毛立《そうけだ》つ**……恐怖や寒さのために、全身の毛が逆立つさま。身の毛がよだつこと。「目前での交通事故に総毛立った」などという。

□**俗耳《ぞくじ》に入《はい》りやすい**……世間一般の人にわかりやすいこと。「俗耳」は、世間の人々の耳。「俗耳に入りやすい話には、裏があるものだ」などという。

□**耳目《じもく》にふれる**……見たり聞いたりすること。「耳目」は耳と目で、そこから「見聞」を意味する。「都会に出れば、耳目にふれるものすべてが新鮮だ」などという。

□**黄色《きいろ》い声《こえ》**……女性や子どもなどのかん高い声。「人気アイドルの登場に、会場は黄色い声で埋め尽くされた」などと用いる。

□**鳩首協議《きゅうしゅきょうぎ》**……人が集まり、額をつき合わせて相談すること。「鳩首」の「鳩」は、鳥類のハトではなく、集める、集まるという意味。「鳩合」の「鳩」も同じ意味。

□**胸襟《きょうきん》を開《ひら》く**……思っていることを隠し立てせず、すっかり打ち明けること。「胸襟」は、胸の内、心の中。「子どもの将来について、胸襟を開いて相談する」などという。

□**片肌脱《かたはだぬ》ぐ**……他人に力を貸すこと。「一肌脱ぐ」と同じ意味。江戸から明治時代にかけて、男性がひと仕事するときには、左右どちらかの片袖を脱いで、肩を出したところから。

□**小股《こまた》を掬《すく》う**……小股はまたの部分で、相撲の「小股掬い」は、相手の股を内側から掬いあげて倒す技。その相撲の決まり手から、相手の隙に乗じて、利益を得ることをいう。

□**及《およ》び腰《ごし》になる**……「及び腰」は、腰をかがめてものを取ろうとするときのような、不安定な腰つき。そこから、自信なさげな様子になることをいう。

□**骨肉相食《こつにくあいは》む**……肉親同士が争うことをいう。「骨肉」は、直接、血のつながっている者、親子や兄弟・姉妹。夫婦は血がつながっていないので、夫婦喧嘩には使わない。

□**手塩《てしお》にかける**……自らいろいろと世話をして、大切に育てること。「手塩」は、昔、各自の食前に添えられた塩。これを好みに応じてかけたところから、他人まかせにしないという意味が生じた。

□**詰腹《つめばら》を切《き》る**……強《し》いられてやむをえず切腹すること。現代では、本意ではない責任をとらされること。強制的に辞職させられること。

□**白眼視**《はくがんし》……意地悪い目つきで見ること。中国の春秋時代に、竹林の七賢の一人・阮籍《げんせき》が、気に入らない人は白眼で見たという故事から生まれた言葉。

□**満面朱**《まんめんしゅ》**をそそぐ**……怒りなどで顔を真っ赤にすること。「不公平な扱いを受けた彼は、満面朱をそそいだように怒った」などと用いる。笑う場合は「満面に笑みをたたえる」。

□**目引**《めひ》**き袖引**《そでひ》**き**……声を出さずに、仲間内で目で合図したり、袖を引いたりして、自分の意思を伝えること。「目引き鼻引き」ともいう。

□**眦**《まなじり》**を決**《けっ》**す**……目を大きく見開くことで、そこから決意したり、怒ったりする様子をいう。「眦」は「目《ま》の後《しり》」、つまり目尻のこと。

□**身**《み》**をやつす**……目立たないよう姿を変えること。みすぼらしい姿になることをいう。「憂き身をやつす」となると、身がやせ細るほど、一つのことに熱中するという意味になる。

□**浮足立《うきあしだ》つ**……不安や恐れで落ち着きを失うこと。「浮足」は爪先だけを地面につけ、かかとが上がった状態。そこから、逃げ腰の意味もある。

□**手《て》が切《き》れる**……紙幣などが真新しい様子を形容する言葉。「手の切れるような新札」などと用いる。あるいは、縁を切ること。この場合、「手を切る」ともいう。

□**手鍋《てなべ》さげても**……好きな男との生活なら、貧乏もいとわないという意味で使う言葉。「手鍋をさげる」は、自分で炊事をするような貧しい生活をすること。

□**目《め》を皿《さら》のようにする**……驚いたり、物を探したりするとき、目を大きく見開くことを指す。この皿は上から見たときの状態で、まん丸であることのたとえ。

9 それは上手い言い方だ！——「体」を使った表現②

□**目星《めぼし》をつける**……物事の見当がつくという意味。見込み。「目をつける」という意味に近く、「ようやく犯人の目星がついた」などと使われることが多い。「目鼻がつく」（P57）と混同しないように。

□**焦眉《しょうび》の急《きゅう》**……危険が差し迫っていること。一刻の猶予もない状態をいう。急務。「この問題は、いまや焦眉の急といってもいい段階にさしかかっている」などと使う。

□**肩透《かたす》かしを食《く》わせる**……勢いよく向かってくる相手の気勢をそぐこと。「肩透かし」は、相撲の決まり手の一つで、押してくる相手の肩をはたき落とす技。

□**木《き》で鼻《はな》をくくる**……無愛想な様子をあらわす言葉。「木で鼻をこくる」が誤用され、一般化した。こくるとは、こするという意味。「木で鼻をくくったような対応」などという。

□**きびすを返《かえ》す**……途中で引き返すこと、後戻りをすること。きびすとは、かかとのことで、「きびすをめぐらす」ともいう。「彼は曲がり角できびすを返した」などと使う。

□**膝《ひざ》が笑《わら》う**……足を使いすぎて、疲れから膝がガクガクすること。おもに階段や山登りなどで、膝の力が抜け、思うように歩けないことをいう。

□**歯《は》の根《ね》が合《あ》わない**……寒さや恐怖のため、ふるえるさま。上の歯と下の歯が合わず、ガチガチと音をたてること。「歯の根が合わないほどの悪寒」などという。

□**口《くち》が酸《す》っぱくなる**……同じことを何度も繰り返していう様子。「口が酸っぱくなるほど、子供たちには注意していた」などと使う。

□**小鼻《こばな》をうごめかす**……得意げになっている様子をいう。「小鼻を動かす」と同じ意味。自慢したり、得意げになるとき、鼻の左右のふくらみを動かすことから。

□**手《て》ぐすね引《ひ》く**……十分に用意をして相手を待ち構えること。武士が弓の握りがすべらないように準備したことから。「敵を手ぐすね引いて待ち構える」などという。

□**鼻息《はないき》をうかがう**……人の意向や機嫌を、おそるおそるうかがうこと。相手の気に入るように行動することをいう。「顔色をうかがう」と同じ。「鼻息を仰ぐ」とも。

□瞳《ひとみ》を凝《こ》らす……何かをじっと見つめること。まばたきもせず、一点を凝視すること。「瞳を凝らして写真を眺める」などという。

□手《て》をこまねく……「手をこまねいて見ている」などと、手出しをせずに傍観する様子をいう。両腕を胸の前で組み合わせる中国の礼法から。

□すずしい顔《かお》……そしらぬ顔をしている様子。自分にも関係があるのに、しらばくれている態度を表す。「人に迷惑をかけておいて、当人はすずしい顔をしている」などという。

□目《め》から鼻《はな》へ抜《ぬ》ける……物事の理解や判断が早く、非常に頭がよいこと。抜け目がないこと。「目から鼻へ抜ける秀才ぶり」などという。

□後脚《あとあし》で砂《すな》をかける……去るときに、恩をあだで返すようなまねをすること。犬や猫などの動物が、足で砂を舞い上げるようにして、走り去る様子から。

□**耳朶《じだ》に触《ふ》れる**……耳に入る。聞く。聞き及ぶことをいう。「耳朶」とは、耳や耳たぶのことをさす。「世間の噂話が耳朶に触れる」などという。

□**掌《てのひら》を返《かえ》す**……短時間のうちに、人の態度が簡単に変わる様子をさす。掌を裏返すのが容易なことから。「掌を返すように冷たい態度をとる」など。

□**歯《は》が浮《う》く**……軽薄で空々しい言い回しや、気取った言動に対して、気持ち悪く感じること。「歯が浮くようなお世辞」などと使う。

□**眉《まゆ》を顰《ひそ》める**……心配事があり、眉の辺りにしわを寄せること。または、不快な様子を表す。「彼の傍若無人な振る舞いに眉を顰めた」などという。「眉を寄せる」と同じ意味。

□**小股《こまた》が切《き》れ上《あ》がる**……足が長く、すらりとした女性のこと。「小股の切れ上がった」の形で、小粋な女性を形容するときによく使われる。「小股の切れ上がったいい女」など。

□**爪《つめ》に火《ひ》をともす**……極端に倹約していることのたとえ。ろうそくの代わりに、爪に火をともすという意味から。「爪に火をともすような暮らしぶり」などという。

□**掌《たなごころ》をさす**……きわめて明確、正確なことのたとえ。手のひらにあるものを、指さすことから。「手に取るよう」「紛れもない」と同じ意味。

□**目《め》鼻《はな》がつく**……物事がおおよそ出来上がり、見当がつくこと。ほぼ予想ができること。「仕事の目鼻がつく」などと使う。また、見通しをつけることを「目鼻をつける」という。

□**鼻毛《はなげ》を読《よ》まれる**……魂胆を見透かされることをいう。おもに女性が、自分に気のある男性をあしらうときに使われる。「眉毛を読まれる」ともいう。

□**盆《ぼん》の窪《くぼ》**……後頭部から首筋にかけてのくぼみのこと。襟足近くのへこんだ部分をさす。江戸時代は、うなじの中央を残して剃った幼児の髪型をさした。

□**胸《むな》突《つ》き八丁《はっちょう》**……もっとも困難で苦しいときを迎えるたとえ。仕事や学業などが成功するまでの、一番苦しい時期をさす。富士山を登るとき、山頂近くがとくに険しいことから。

□**柳眉《りゅうび》を逆立《さかだ》てる**……美しい女性が、眉をつりあげて怒っている様子。男性には使えない語。柳眉とは、柳のように細く、美しい眉のこと。美女の眉の形容でもある。

10 常識としておさえたい大人の言い回し

□**いみじくも**……非常に上手に。まことに適切にも。「いみじ」は、はなはだしいという意味。「彼女はいみじくもいってのけた」などと使う。

□**つづら折《お》り**……くねくねといくえにも折れ曲がって続く坂道。山道。つる性植物の「ツヅラフジ」のつるが、折れ曲がって伸びることから。「九十九折り」と書くこともある。

□**天王山《てんのうざん》**……勝負や運命が決まる、重要な分岐点のこと。「天王山」とは、京都と大阪の境にある山の名前。山崎の戦いで、豊臣秀吉が天王山を占領し、明智光秀に勝った戦国時代の故事から。

□**鼎《かなえ》の軽重《けいちょう》を問《と》う**……権力者をあなどり、それに代わろうとすること。人の実力を疑うこと。食べ物を煮るかま「鼎」の軽重を、古代中国の王が問うた故事から。

□**洞《ほら》が峠《とうげ》**……形勢をみながら、有利な方へつこうとすること。戦国時代、筒井順慶という武将が、明智光秀の敗戦が濃厚となってから、洞が峠を下り豊臣秀吉に味方したと伝えられる故事から。

□**水菓子《みずがし》**……果物の古風な呼び方。果物も甘みをもっているため、菓子と呼ばれていたことから。「水ようかん」などの水分を多く含む菓子の意味で使うのは誤り。

□**綺羅星《きらほし》の如《ごと》し**……立派ですぐれたものや、華やかなものが多くあるたとえ。「綺羅」とは、きらびやかな衣類のこと。なお、「きらぼしのごとし」ではなく「綺羅《きら》、星《ほし》の如し」と読む。

□**砂上《さじょう》の楼閣《ろうかく》**……基礎がもろく、崩れやすいことのたとえ。実現が難しい物事のたとえ。

砂の上に作った建物は、すぐに崩れてしまうことから。

□**剣《けん》ヶ《が》峰《みね》に立《た》つ**……絶体絶命の状態。一歩の後退も許されない、ぎりぎりの立場に立つこと。「剣ヶ峰」とは、噴火口の周りのこと。転じて、相撲の土俵際の意味でも使われる。

□**揺籃《ようらん》の地《ち》**……事業などの物事が発生、発展した土地のこと。「揺籃」とは、子供を入れるゆりかごのこと。「フィレンツェはルネサンスの揺籃の地だ」などと使う。

□**金字塔《きんじとう》**……後の世まで伝えられるような、すぐれた業績のことをいう。「金字塔を打ちたてる」などと使う。「金字塔」とはピラミッドのこと。金の字に形が似ていることから。

□**眼光紙背《がんこうしはい》に徹《てっ》す**……読解力、洞察力がすぐれていることのたとえ。言外の意味まで理解する力があること。目の光が書の裏側まで見通すという意味から。

□**試金石《しきんせき》**……人の能力を見極める材料となるもの。「試金石」というのは、貴金属の純度や品位を判定するために使われる石のこと。「チームの優勝を占う試金石」などという。

□**華燭《かしょく》の典《てん》**……結婚式をたたえていう言葉。結婚式の美称。「華燭」は、華やかな灯火のこと。「華燭の典を挙げた二人」などと使う。

□**一枚看板《いちまいかんばん》**……ほかに代わるものがない、すぐれたもの。唯一の宣伝効果を持つもの。もともと上方歌舞伎で、劇場の前に飾った大きな看板を「一枚看板」といったことから。

□**親方日の丸《おやかたひのまる》**……公営企業は倒産する心配がないので、安心だという意味。公務員や役人の仕事ぶりに真剣味が欠ける場合に、皮肉の意味を込めて使うことが多い。

□**草葉《くさば》の陰《かげ》**……死んでからいくあの世のこと。墓の下。道端の草の下にある墓という意味から。「草葉の陰で幸福を祈る」などと使う。

□**上《あ》げ膳《ぜん》据《す》え膳《ぜん》**……自分は何もせずに、人のもてなしを受けること。「膳」は、食事を乗せる台のこと。自分は動かず、人に働いてもらって楽をする様子をいう。

□**諸刃《もろは》の剣《つるぎ》**……役に立つ可能性がある反面、逆に危険をもたらす恐れもあることのたとえ。両側に刃がついた剣が危険であることから。

□**大岡裁《おおおかさば》き**……人情にあつい、公正な裁判や判断のこと。名判決の代名詞として使う。江戸町奉行の大岡越前守忠相《おおおかえちぜんのかみただすけ》が下した裁きに名判決が多かったことから。

□**門前市《もんぜんいち》の如《ごと》し**……人が大勢たずねてくることのたとえ。門の前に市場ができたかのように、人が集まっているという意味から。「門前市を成す」ともいう。

□**人口《じんこう》に膾炙《かいしゃ》する**……広く世間の人々の話題となること。もてはやされること。「膾炙」とは、なますとあぶり肉のこと。おいしいものが、多くの人の口に合うという意味から。

□**口《くち》を糊《のり》する**……かろうじて生計を立てる。やっと暮らしていけるほど、生活が貧しいことのたとえ。「糊口《ここう》を凌《しの》ぐ」と同じ意味で使う。

□**金釘流**《かなくぎりゅう》……釘を並べたような、へたな文字のたとえ。書道の流派に見立てて、からかっていう言葉。「金釘」と略していうこともある。

□**鬼**《おに》**が出**《で》**るか蛇**《じゃ》**が出**《で》**るか**……何が起こるかわからないたとえ。鬼も蛇も、恐ろしいものとされたことから。「鬼が出るか蛇が出るかは、試してみないとわからない」などという。

□**鼻薬**《はなぐすり》**を嗅**《か》**がせる**……わいろを贈ること。「鼻薬」というのは本来、子供をなだめるために与える菓子のこと。転じて、わいろという意味になった。「鼻薬を利かせる」ともいう。

□**女坂**《おんなざか》……二つの坂道のうち、ゆるやかな方をさしていう言葉。おもに、神社や寺への参道のことをいう。反対に、急な坂道の方は「男坂」。

□**春秋**《しゅんじゅう》**に富**《と》**む**……年が若く、将来が長いこと。将来性があること。「春秋」とは、年月や年齢のこと。これから先も年月がたくさん残っているという意味。

□**春秋《しゅんじゅう》の筆法《ひっぽう》**……価値判断を入れて事実を書くやり方。また、間接的要因を直接的要因のようにとらえて表現する書き方をいう。「春秋」には孔子の価値観が含まれていることから。

□**身二《みふた》つになる**……妊婦が子供を産む。出産する。一人の体が二人になるという意味から。「里帰りして、身二つになる」などと使う。

□**身罷《みまか》る**……この世からいなくなる。亡くなる。「この世から罷り去る」という意味。「若くして身罷る」「安らかに身罷る」などと使う。

□**食傷《しょくしょう》**……同じ事のくり返しで、うんざりすること。「いくら面白いことでも、毎日となると食傷する」などという。本来「食傷」は、食べ過ぎて胃にもたれることをいう。

□**判官《ほうがん》びいき**……第三者が、弱い者の味方をすること。同情して、ひいきにすること。悲劇の英雄といわれる源義経が、判官であったことから。

□**登竜門**《とうりゅうもん》……出世のチャンスをつかむ難関のこと。「文壇への登竜門」など。「竜門」とは、中国黄河上流にある急流のこと。ここを登った鯉は、竜になるという言い伝えから。「とりゅうもん」ではなく、「とうりゅうもん」と読む。

□**千慮**《せんりょ》**の一失**《いっしつ》……十分に考えぬかれた計画でも、思いもかけない失敗があるということ。どれほど思慮分別のある人でも、一つぐらいは考え違いをすることから。

□**習**《なら》**い性**《せい》**となる**……一度身に付いた習慣は、その人の本来の性質と同じようなものになるということ。よい習慣にも悪い習慣にも用いる。

□**目**《め》**の正月**《しょうがつ》……めったに目にすることができない、貴重なものを見ること。目の保養をして楽しむこと。「一年でもっとも楽しい正月が目に訪れた」という意味から。

11 教養として覚えたい大人の言い回し

□**あまつさえ**……そのうえに、加えてという意味。とくに、悪いことが重なるときに使う。副詞「あまりさえ（剰へ）」の音が変化したもの。

□**すべからく**……当然、本来ならばという意味。普通「当地においては、すべからく用心をすべし」などと、最後に「べし」を伴う。「すべて」という意味で使うのは間違い。

□**徒《あだ》や疎《おろそ》か**……他人の恩恵やものの価値を軽視する様子。「いただいた配慮は、徒や疎かにはできない」などと、打ち消しの言葉を伴って使う。

□**あたら**……惜しいことに、残念にという意味。形容詞「あたらし（可惜し）」の語幹が副詞となった言葉。「あたら若い命を粗末にしてしまった」などという。

□**たまさか**……思いがけない様子、偶然である様子、めったにないと思われる様子をいう。「出張の折り、たまさかかつての上司と出会った」などと使う。

□**なかんずく**……とりわけ、その中でもという意味。漢語「就中」の訓読み「なかにつく」の音が変化した語。「語学の中でも、なかんずく英語に人気がある理由」など使う。

□**憚《はばか》りながら**……遠慮すべきことかもしれないが、恐れながら、不肖ながらといった意味。相手の気分を損ねそうなとき、前置きに用いる。「憚る」は、遠慮するの意味。

□**けだし**……「蓋し」と書き、まさしく、たしかにという意味。「けだし名言」などと使う。推量の意味を表す語を後ろに伴って、もしかしてという意味にもなる。

□**あわよくば**……運がよければ、うまくいけばの意味。物事がうまくいっている様をいう形容詞「あわいよし（間よし）」が変化した語。

□**いやしくも**……身分不相応にもというのが、本来の意味。今は、「かりにも」という意味によく使い、「いやしくも大学教授でありながら」などと用いる。

□**ゆめゆめ**……後ろに禁止を表す言葉を伴って、決しての意味。「ゆめゆめ油断するではないぞ」などと使う。また、あとに打ち消しを表す言葉を伴い、少しもという意味も。

□**たまゆら**……少しの間。ほんのしばらくの意味。玉が揺らぎ、ふれ合う様子が、かすかなところからできた言葉。

□**さもありなん**……きっとそうであろう、もっともであるといった意味。人の話を肯定的に受け止めるときに使う。「さもあらん」も、同じ意味。

□**すこぶるつきの**……はなはだしいこと。「すこぶる」は、程度がはなはだしい様子をいう。「彼女は、若いころすこぶるつきの美人だった」などという。

□**うたた**……いよいよ、ますますという意味。ある状態がどんどん進行し、はなはだしくなるさま。「うたた寝」は、眠るつもりもないまま、どんどん眠くなることから生まれた言葉。

□**たばかる**……計略をめぐらして、だますこと。工夫するという意味も。「取引先にたばかられたばかりに、社長は資産の半分を失った」などと用いる。

□噴飯物《ふんぱんもの》……食べかけていたご飯粒を思わず噴き出し笑ってしまうくらい、おかしなこと。「社内の騒動は、第三者から見れば噴飯物だ」などという。

□伏魔殿《ふくまでん》……〝魔物が隠れている殿堂〟ということから、陰謀や悪事が絶えず陰で企まれているところという意味。悪の根城のこと。

□かりそめ……一時的なもの。ちょっとしたこと、という意味。ほかに、いいかげんなことという意味も。「季節が変われば、かりそめの恋は終わる」などという。

□たおやか……姿・形がほっそりとして動きがしなやかな様子。あるいは、態度や性質がしとやかで上品な様子。「たおやめ」は、しとやかな女性のこと。

12 それなりによく聞く大人の言い回し

□かまびすしい……やかましく、さわがしいこと。声や音がうるさく、騒々しい。「かまびすしいせみの声」などと用いる。

□**あられもない**……姿や態度がだらしなく、乱れている様子。もともと「ありえない」という意味で使われたが、転じて「あってはならない」という意味に。おもに女性に対して使う。

□**三々五々**《さんさんごご》……三人または五人ぐらいの少人数が、あちこちにいたり歩いたりする様子。人や家が点在しているさまを表す。「三々五々連れ立って行く」などと使う。

□**たゆたう**……水に浮いているものなどが、ゆらゆら揺れ動くさま。転じて、迷いためらうという意味でも使われる。「たゆたう心」など。

□**仰々しい**《ぎょうぎょう》……大げさで派手な様子。目立ちすぎるさま。「仰々しい身振り」「仰々しく飾りたてる」などと使う。

□**なんなんとする**……もう少しで、その状態になろうとしている。まさにそれに及ぼうとしている。「なりなんとする」が変化した。「十年になんなんとする」など。

□**三《さん》すくみ**……三者が互いを恐れて牽制しあい、身動きがとれないこと。蛇となめくじと蛙が、互いに牽制しあうことから。「三すくみの状態」などという。

□**なあなあ**……適当に相手と折り合いをつけて、物事をいい加減に処理すること。「なあなあで済ませる」などという。感動詞の「なあ」を二つ重ねた言葉から。

□**つつがない**……病気や災難などにみまわれず、何の異常もなく日々を送る。平穏無事に暮らす。「つつがなく日程を終える」「つつがなく帰国した」など。

□**しどけない**……みなりがだらしない様子。しまりがなく、乱れているさま。「寝起きのしどけない格好」などという。おもに女性に対して使う。

□**ねんごろになる**……仲むつまじく付き合う様子。親しくなる。友人関係にいうこともあるが、おもに男女が情を通じる間柄になることをいう。

□**よんどころない**……そうするより仕方がない。やむをえない。「よりどころなし」が転じた。「よんどころない事情があって欠席した」などと使う。

□**やおら**……静かにゆっくりと動作をはじめる様子。ゆうぜんと。おもむろに。「彼は発言の前にやおら立ち上がった」「やおら身を起こす」などと使う。「いきなり」という意味に使うのは誤用。

□**杳《よう》として**……ぼんやりとしていて、はっきりしない様子。事情などがわからないさま。「彼の行方は、杳としてわからない」などという。「杳」は暗いさま、広いさまのこと。

□**大時代《おおじだい》**……古めかしく大げさで時代遅れなもの。歌舞伎や浄瑠璃で、奈良・平安時代の王朝世界を題材とした「大時代物」を略して生まれた言葉。

□**夜《よ》もすがら**……夜通し、一晩中の意味。「夜もすがら、仲間と酒を飲み、語り合った」などと使う。すがらは「～の間ずっと」という意味。

□**満艦飾《まんかんしょく》**……派手に飾りたてること。もとは停泊中の軍艦が祝日、記念日などに、各マストに信号旗と軍艦旗を掲げた儀礼を指した。

□がえんずる……「肯んずる」と書き、承諾することをいう。もとは「～しようとしない」という否定の意味だったが、意味が一八〇度変わった。

□よしない……そうするいわれがないこと。理由がないこと。つまらないことをいう。「由無い」と書き、「彼のよしない発言で、交渉は頓挫した」などと用いる。

□ひとくさり……ある話題についてひとしきり話すことをいう。もとは謡い物や語り物の一段落の意味だったが、それが転じて現在の意味になった。

□ぬかずく……「額ずく」と書き、額《ひたい》が地に着くか、額を地に着けるくらいに丁寧にお辞儀をすること。

□度《ど》しがたい……救いがたいこと。もとは仏教の言葉「済度《さいど》しがたい」から。「済度」は仏が迷い苦しむ人々を救って悟りの境地に導くこと。「彼は度しがたい女好きだ」などと使う。

□口《くち》さがない……他人のことをあれこれうるさく批評するのが好きな様子をいう。「さがない」は「性無い」と書き、性質が悪いこと。「彼女は口さがない噂好きだ」などと使う。

□おもねる……気に入られようとすること。へつらうこと。「大衆におもねりすぎた表現」などと用いる。

□旗《はた》を巻《ま》く……戦いに敗れて降参すること。あるいは見込みがつかず、途中で手を引くこと。軍旗を下ろして、巻き収めたところから生まれた慣用句。

□縷々《るる》述《の》べる……こまごまと話すこと。「縷々」はやっと見えるほどの細い糸のことで、そこから細く絶えず続く様子をいうようになった。

□いぎたない……「寝穢い」と書き、いつまでも眠っているさま。あるいは、寝ている姿がだらしないさま。「い」は眠りの意味。「意地汚い」とはまったく意味の違う言葉。

□**かしこ**……恐れ多いこと。手紙の末尾に書いて敬意を表す言葉で、近世以降は女性が使う言葉。「あなかしこ」も同じ意味。

□**滋味《じみ》あふれる**……ものごとに深い味わいが感じられること。「滋味あふれる作品」などと用いる。

□**ぬえ的《てき》**……正体不明で怪しげなさまをいう。「鵺《ぬえ》」は源頼政《よりまさ》に殺されたと伝えられる頭はサル、体はタヌキ、尾はヘビ、脚はトラという正体不明の怪物。

□**ひねもす**……朝から晩まで続くさま。一日じゅうのこと。「終日」とも書き表す。「ひもすがら」も同じ意味。「ひねもす読書三昧」などという。

□**惻隠《そくいん》の情《じょう》**……あわれむ気持ち、かわいそうに思う気持ち。「惻隠の情からか、彼はそれ以上彼女を責めなかった」などという。

□**小半時《こはんとき》**……半時の半分、一時《いっとき》の四分の一。一時（一刻）は二時間だから三〇分のこと。ただ、「小」にはだいたいという意味もあるので、だいたい半時という解釈もでき、その場合は約一時間。

□**梁山泊**《りょうざんぱく》……中国の長編小説『水滸伝《すいこでん》』で、一〇八人の豪傑が集まった所。そこから、仲間が集まり、たむろするところ、アジトという意味に。

Step

2

誰も教えてくれなかった敬語のコツ

1　目おかれる人の「あいさつ」はここが違う！

□×「ご苦労様でした」↓○「お疲れ様でした」

「ご苦労様でした」は、目上が目下をねぎらってかける言葉で、目下から使うと失礼になる。目下からは「お疲れ様でした」と言うのが、正しい日本語。

□×「お世話様です」↓○「お世話になっております」

「お世話様です」は、ややくだけた表現。「ご苦労様」と同様、目上には使えない。目上には「お世話になっております」「お世話様でございます」ということ。

□×「お先です」↓○「お先に失礼します」

「お先です」は一種の略語で、上司や先輩には使えない。「お先に失礼します」というのが礼儀正しい言葉。

□×「いってらっしゃい」↓○「いってらっしゃいませ」

「いってらっしゃい」は、親しい間柄で使う言葉。目上に対しては使えない。目上には、「いってらっしゃいませ」と「ませ」をつけること。

□×「お元気でございますか」↓○「お元気でいらっしゃいますか」

「お元気でございますか」がどこか敬意不足の言葉に聞こえるのは、「ございます」が「ある」の丁寧語でしかないため。「いる」の尊敬語である「いらっしゃる」を使って、「お元気でいらっしゃいますか」とするのが適切な敬語。

2 敬語でキチンと「受け答え」できますか？

□×「わかりました」↓○「承知しました」

目上に対して、「わかりました」と答えるのは、いささかぶっきらぼう。相手に敬意を払いたいときには、「承知しました」を使いたい。

□×「伝えておきます」↓○「申し伝えます」

伝言を頼まれたとき、単に「伝えておきます」と答えてはダメ。相手に対する敬意がまったく含まれていない。ここは「伝える」の謙譲語「申し伝えます」を使うところ。あるいは、謙譲語の「いたす」を使って「伝言いたします」でもいい。

□×「よく知っております」↓○「よく存じております」

この言葉、間違いではないが、敬語として不十分。たとえば、知っている相手が目上の場合は、「その方なら、よく存じ上げております」と言いたい。

□×「了解しました」↓○「かしこまりました」

何かを頼まれたとき、「了解しました」という人がいるが、これは軍隊・警察用語であり、ビジネスシーンには不適当。「かしこまりました」「承りました」「承知しました」が適切な日本語。

□×「思わなかったです」↓○「思いませんでした」

この「思わなかったです」をはじめ、「知らなかったです」「来なかったです」などと、動詞に「です」をつける表現は、幼稚に聞こえる日本語の代表例。「思いませんでした」「知りませんでした」と言うのが、こなれた日本語。

□×「とんでもありません」↓○「とんでもないことです」

「とんでもありません」は、よく使われているが誤用表現。「とんでもない」で一つの形容詞なので、その一部を「ありません」「ございません」に置き換えることはできない。正しくは「とんでもないことです」か「とんでもないことでございます」。

□×「いま、行きます」↓○「ただいま、参ります」

目上に呼ばれたとき、「いま、行きます」と返事するのは幼稚な返答。「いま」をあらたまった言い方の「ただいま」に、「行きます」を謙譲語「参ります」にして、「ただいま、参ります」と返事したい。

□×「はい、できるだけ頑張ります」↓○「はい、ご期待に添えるよう頑張ります」

取引先などに仕事を任されたとき、「できるだけ頑張ります」と返すと、頼りなく聞こえてしまう。本人としては「できるだけ」に誠意を込めたつもりかもしれないが、相手は中途半端な気持ちと受け取りやすい。ここは「ご期待に添えるよう」と返すところ。

3 なぜか答えたくなる「質問」の法則

□×「どうしますか」↓○「いかがいたしましょうか」

「どうしますか」では敬意が含まれていない。目上の人に対しては、「どう」のあらたまった言い方の「いかが」に、謙譲表現の「いたしましょうか」をつけ、「いかがいたしましょうか」としたい。

□×「どうしましたか」↓○「どうなさいましたか」

人に声をかけるとき、「どうしましたか」と言ってはダメ。丁寧な言い方ではあっても、敬意が込もっていない。「する」を尊敬語の「なさる」にし、「どうなさいましたか」が正しい敬語。

□×「ご都合はどうですか?」↓○「ご都合はいかがでしょうか?」

「ご都合」と言ったときは、都合に「ご」をつけた以上、「どうですか?」ではなくそれにつづく言葉も敬語化したい。そこで「ご都合はいかがでしょうか?」となる。「お目にかかりたいのですが、ご都合はいかがでしょうか?」といえば、さらに敬意が強くなる。

□×「おわかりでしょうか」↓○「ご理解いただけましたでしょうか」

「おわかりでしょうか」は、丁寧に言ったつもりでも、要は「わかったか」と尋ねているわけで、相当失礼な言葉づかい。「ご理解いただけましたでしょうか」「おわかりいただけましたでしょうか」と、へりくだった表現にしたい。

□×「ちょっとおたずねしたいのですが」↓○「少々お伺いしたいのですが」

人に質問するときは、「ちょっと」よりも、あらたまった表現の「少々」を使いたい。さらに「おたずねしたい」ではなく、謙譲表現の「伺う」を用い、「少々お伺いしたいのですが」と言うのが、正しい敬語表現。

□×「質問はございますか？」↓○「ご質問はおありになりますか？」

「ある」の丁寧語は「ございます」だが、尊敬のニュアンスは含まれていない。そこで「お（ご）〜になる」という尊敬表現を使い、「ご質問はおありになりますか？」とする。

□×「と申しますと」↓○「とおっしゃいますと」

相手の言葉を聞き返すとき、「と申しますと」と返すのは失礼。「申す」は「言う」の謙譲語であり、自分が「言う」ときに用いる言葉。相手の言葉には、尊敬語の「おっしゃる」を用いなければならない。

□×「いつ出発するんですか」→○「ご出発はいつでしょうか」

「出発する」という言葉には、尊敬の気持ちがなく、目上の人に尋ねる言葉としてはいささかぞんざい。「ご出発はいつでしょうか」と尋ねるようにしたい。

□×「何時にしましょうか」→○「何時にいたしましょうか」

「何時にしましょうか」は、丁寧な言葉ではあっても、敬語にはなっていない。「する」の謙譲語の「いたす」を使って自分をへりくだらせ、「何時にいたしましょうか」とする。

□×「何にいたしますか?」→○「何になさいますか?」

「いたす」は「する」の謙譲語なので、相手の動作には使えない。「する」の尊敬語「なさる」を使い、「何になさいますか?」というのが正しい尋ね方である。

4 「お願いする」時はこのコツを忘れてはいけない!

□×「お力になってください」→○「お力添えください」

「力になる」は、自分が協力するときに使う言葉で、相手に頼むときに使うのは不似合い。まして「お力になってください」と敬語化すると、なおさら変な日本語になる。ここは「力添え」を使い、「お力添えください」と言うのが正解。

□×「ぜひ」↓○「さしつかえなければ」

「ぜひ」は「何が何でも」という意味であり、「ぜひお願いします」というと、人によっては強要されたようにも感じる。そこで「ぜひ」を避け、「さしつかえなければ」を使って、押しつけがましくならないようにしたい。「ご都合がよろしければ」でもいい。

□×「よろしくどうぞ」↓○「どうぞよろしくお願いします」

相手に何か頼むとき、「よろしく」と言うだけでは、丁寧に依頼したことにならない。言葉を省かず、「どうぞよろしくお願いします」と言うのが、頼みごとするときの礼儀である。

□×「いま、いいでしょうか」↓○「いま、よろしいでしょうか」

上司など目上に、「いま、いいでしょうか」と話しかけるのはNG。ここは「いい」をあらたまった言葉に言い換え、「いま、よろしいでしょうか」とする。

□×「忙しいところすみませんが」↓○「お忙しいところを申し訳ございませんが」

上司らの仕事中に割り込むとき、単に「忙しいところ」と言うだけでは不十分。「お忙しいところを」と丁寧な表現にして、そのあと「申し訳ございませんが」と続けたい。

□×「来てもらえませんか」↓○「おいでいただけませんでしょうか」

人に来てもらいたいとき、「来てもらえませんか」と頼んではダメ。「おいでいただけませんでしょうか」が正しい日本語。「来る」の尊敬語の「おいでになる」に、「もらう」の謙譲語の「いただく」を付け加えればよい。

□×「こちらに来ていただけますか」↓○「こちらまでおいで願えますか」

「来ていただけますか」では、尊敬語になっていない。相手に「申し訳ない」という気持ちを伝えるには、「来る」の謙譲表現「おいで願う」「ご足労願う」を使って、「(申し訳ないのですが) こちらまでおいで願えますか」「当社までご足労願えますか」としたい。

□×「紹介してください」↓○「ご紹介いただけないでしょうか」

目上の人に紹介を依頼するときは、単に「紹介」ではなく、「ご紹介」と丁寧に言う必要がある。さらに「いただく」を使い、「ご紹介いただけないでしょうか」としたい。

□×「報告書を見ていただけますか」↓○「報告書をご覧いただけますか」

「見る」には「ご覧になる」という尊敬語がある。この場合は「ご覧になる」を使い、「企画書をご覧いただけますか」とするのが正しい敬語。または「お目通し」を使って、「お目通しいただけますか」でもいい。

□×「ご持参ください」↓○「お持ちください」

「ご持参ください」は、失礼。「持参」は自分の行為に使う言葉で、相手の行為に使う言葉ではない。筆記用具を持ってきてほしいのなら、「筆記用具をお持ちください」とする。

□×「渡してくれませんか」↓○「お渡しいただけませんか」

「〜してくれませんか」という頼み方は、目上にはＮＧ。「ませんか」は単なる丁寧語で、尊敬表現にはなっていない。尊敬語の「いただく」を使って「お渡しいただけませんか」「お渡し願えませんか」と言いたいところ。

□×「書類を取ってくれませんか」↓○「書類を取っていただけないでしょうか」

目上に対して、「課長、そこの書類取ってくれませんか」と言うのは、いかにも失礼。人に物事を頼むときは、「くれませんか」ではなく、「いただけないでしょうか」を使うのが常識。ここは「そこの書類を取っていただけないでしょうか」と言うのがふさわしい。

□×「記入してもらってよろしいですか」↓○「ご記入願います」

相手に指示することがあったり、何か依頼したいとき、「～してもらってよろしいですか」と言うと、判断の余地のある言い方が相手をかえってとまどわせてしまう。シンプルに「ご記入願います」で十分。より敬意を含ませたければ、「恐れ入りますが」を付け加えるとよい。

□×「お休みさせてください」↓○「休ませていただきたいのですが」

「お休みさせてください」と、休みに「お」を付けても、目上に敬意を払ったことにはならない。休むのは自分なので、「お休み」では自分に敬意を払うことになってしまう。ここは、「休ませていただきたいのですが」とすることで、恐縮のニュアンスを含めたい。

5 「断る」「謝る」時はこのツボを外してはいけない！

□×「お断りします」↓○「遠慮させていただきます」

断るときには、人間関係上、婉曲な表現をしたほうがいい。「今回は遠慮させていただきます」と言えば、相手も「お断りします」と言われるよりは、気分を害さないだろう。さらに、「あいにくですけれども」「本当にすみませんが」といった言葉を添えたい。

□×「どうぞおやめください」↓○「どうかおやめください」

「どうぞ」は、人に何かを勧めるときに使う言葉。やめるように頼むときには使えない。だから、「どうぞおやめください」はNGで、「どうかおやめください」が正しい言い方。

□×「お受けできません」↓○「ご期待には沿いかねます」

「お受けできません」は、いささかぶっきらぼうな断り方。ここは、「お受けいたしかねます」という表現を使いたい。「〜かねます」は、「応じかねます」「ご期待には沿いかねます」「わかりかねます」など、応用範囲が広い。

□×「わたしでは答えられません」↓○「わたくしではお答えしかねます」

自分の判断では決められないとき、「わたしでは答えられません」というのは、ストレートすぎていささかぶっきらぼう。こういう場合は、「わたし」を「わたくし」に代えたうえで、婉曲に「お答えしかねます」と言うこと。

□×「すみません」↓○「申し訳ありません」

日常生活では「すみません」「ごめんなさい」は、便利かつ円滑に物事を進めるために重要な言葉だが、ビジネスの場ではNG。ミスをしたとき「すみません」では軽すぎるので、「申し訳ありません」と頭を下げること。

□×「どうも申し訳ございません」↓○「まことに申し訳ございません」

「どうも」は、簡単な挨拶にもなるなど、用途が広い言葉。そのため、謝罪の言葉に使うにはいささか軽すぎる。「申し訳ありません」に添えるには、「まことに」がふさわしい。

□×「申し訳ございませんです」↓○「申し訳ございません」

より丁寧に言おうとして「申し訳ございませんです」というのは変な日本語。「ございません」「です」と、丁寧語が二つ重なることはありえない。ここは「申しわけございません」で十分。

□×「失敬しました」↓○「失礼いたしました」

「失敬しました」は、謝罪の言葉としては最軽量の部類。目上に使える言葉ではない。目上には「失礼」を使い、「失礼いたしました」と詫びること。

□×「いま、都合が悪いのですが」
↓○「申し訳ございません。ただいま手を離せない仕事がございまして」

面会を断るとき、「いま、都合が悪いのですが」は、あまりに自己中心的な言い方。「ただいま手を離せない仕事がございまして」と言うのが無難。「申し訳ございません」と謝りの言葉も忘れないように。

□×「お酒はダメなんです」↓○「申し訳ございません。あいにく不調法でございまして」

酒を断るとき、ただ「飲めません」「ダメなんです」と言っては、相手に拒否された不快感を与えてしまう。「あいにく不調法でして」と丁寧に言えば、そういう不快感を抱かせない。前置きとして「申し訳ありません」のひと言も添えたい。

6 使って好感度200%アップの敬語

□×「おっしゃられました」↓○「おっしゃいました」

「おっしゃられました」は、典型的な過剰敬語。「おっしゃられる」は「おっしゃる」に尊敬の助動詞「れる」がついているが、そもそも「おっしゃる」が「言う」の尊敬語。そこに、「れる」をつけ加えるのは不適切。「おっしゃいました」で十分。

□×「言い忘れていましたが」↓○「申し遅れましたが」

言い忘れたことがあったとき、正直に「言い忘れていましたが」と言うのは、馬鹿正直というもの。「言う」の謙譲語「申す」を使い、また「忘れていた」というのも失礼なので、「遅れる」を用いる。

□×「ご出席される」↓○「ご出席なさる」

「ご出席される」では、「され」が謙譲表現ともとられかねず、尊敬の表現としては不適切。「する」の尊敬語「なさる」を用いて「ご出席なさる」がスマート。あるいは「を」を入れて、「ご出席をされる」とすれば、「される」が尊敬表現に聞こえる。

□×「部長、気に入っていただけましたか」↓○「部長、お気に召していただけましたか」

「気に入っていただけましたか」という言葉は、一応「いただく」という謙譲語を使っているものの、これだけでは敬意不足。「気に入る」を「お気に召す」という尊敬語に変え、「部長、お気に召していただけましたか」が目上への正しい言葉遣いになる。

□×「お申し出ください」↓○「お申し付けください」

「お申し出ください」は、丁寧なようでいて、上から物をいうような感じをいだかせる表現。「お申し付けください」というフレーズを覚えておこう。

□×「○○屋さん」↓○「○○社の方」

会社に出入りする人たちを「電気屋さん」「掃除屋さん」などと、「〜屋さん」と呼ぶのは失礼。「○○社の方」「○○社の××さん」と、正式な社名で呼ぶようにしよう。

□×「先輩なりのご意見で結構ですから」↓○「先輩のお考えをお聞かせください」

目上に対して「先輩なり」「部長なり」と、「なり」を使うのは失礼。「なり」は「自分なりの意見」というように、へりくだるケースで使う言葉であって、相手には使わないほうがいい。目上の意見を聞きたいときは、「お考えをぜひお聞かせください」と言えばいい。

□×「部長を見直しました」↓○「改めて恐れ入りました」

「部長を見直しました」と言えば、「じゃあ、今までどう思っていたんだ」と思われかねない。「改めて恐れ入りました」「改めて感服しました」などと、「改めて」を使うと、うまく敬意を表せる。

□×「ご利用できます」↓○「ご利用になれます」

「ご利用できます」というのはおかしな日本語。お客に対しては「ご利用になれます」を使いたい。

□×「用意してございます」↓○「用意しております」

一見、丁寧な言い方なのに違和感があるのは、「ございます」の使い方。「ございます」は存在を表す「ある」の丁寧語なので、「用意する」という動詞のあとに使うと、おかしな日本語になる。

□×「お求めやすい価格」↓○「お求めになりやすい価格」

通販番組などでよく聞く「お求めやすい価格」は変な日本語。「お」を動詞につける場合は、動詞を連用形にして「お～になる」という形にしなければならない。「求める」なら「お求めになる」として、「お求めになりやすい価格」が正しい表現になる。

□×「誉めてもらって恐縮です」↓○「お誉めいただき恐縮です」

「誉めてもらって恐縮です」はバランスの悪い言葉。「誉めて」か「もらって」のどちらか、あるいは両方を敬語に直さなければ、「恐縮です」につながらない。「誉めていただいて恐縮です」、「お誉めいただき恐縮です」と言いたいところ。

□×「うちでは」↓○「私どもでは」

サラリーマンは、自分の会社や部署のことを「うち」というが、これは仲間用の言葉。

外部に使うのは失礼になる。正しいビジネス敬語は「私ども」。

7 そんな「おもてなし」の敬語があったのか

□×「お食べになってください」↓○「お召し上がりください」

「どうぞお食べになってください」というのは、「食べる」という言葉が直接的すぎて品がない。ここは「お召し上がりください」というのが、大人の日本語。

□×「何をお召し上がりになられますか」↓○「何を召し上がりますか」

「召し上がる」は「食べる」「飲む」の尊敬語だが、「お召し上がりになられますか」というと、「召し上がる」「お～になる」「～なられる」と敬語表現が三つも重なってしまい、NG。「召し上がりますか」で十分。

□×「お飲み物は何にしますか」↓○「お飲み物は何にいたしましょうか」

飲み物の注文を聞くとき、「何にしますか」では、敬意がまったく含まれていない。「する」の謙譲語「いたす」を使い、「何にいたしましょう」とすれば、お客の意向を聞くのにふさわしい日本語になる。

□×「コーヒーのほうでよろしいですか」↓○「コーヒーでよろしいでしょうか」

近年、よく使われる言葉に「○○のほうでよろしいですか」という表現がある。だが「〜のほう」は、方角や進行方向、あるいは二つのうち、どちらかを選ぶときに使う言葉。「コーヒーのほう」という表現は間違いであり、嫌う人も多いので注意したい。

□×「今夜はお疲れさまでした」↓○「本日は、遅くまでありがとうございました」

宴会のあと、目上に礼を言うとき、「今夜はお疲れさまでした」では失礼。「ありがとうございました」と感謝の気持ちを示し、「遅くまで」を添えることで、より深い感謝の気持ちを伝えられる。

□×「遠いところまで来てもらってすみません」
↓○「遠路はるばるご足労いただき、ありがとうございます」

遠方からの来客に対し、来てもらったことへの感謝を述べるのは、大人の社交辞礼。それ相応の決まり文句を心得ておきたい。さほど遠くない場合は「遠方よりお越しくださり」でＯＫ。

□×「忘れ物いたしませんよう、気をつけてください」

↓○「お忘れ物をなさいませんよう、お気をつけください」

来客に忘れ物がないよう注意を促すのはいいが、「いたす」は謙譲語なので、相手の行為には使えない。尊敬語の「なさる」を使い、「お忘れ物をなさいませんよう」と言うのが正しい。「気をつけてください」も「お気をつけください」としたほうがいい。

8 学校では教えてくれない「電話」の敬語

□×「はい、○○に代わります」↓○「かしこまりました。○○におつなぎします」

「はい」という返答は、ビジネス用語としてくだけすぎ。「かしこまりました」が、望ましい応対の仕方。「代わります」も同じで、「おつなぎします」と謙譲語を用いて、相手への敬意を示したい。

□×「鈴木は電話中ですが」↓○「鈴木はただいま別の電話に出ておりますが」

「電話中です」は、目上や取引先に対しては失礼な言葉。「出ております」と謙譲語を使って説明したい。「まもなく終わると思いますが、お待ちいただけますか」などと配慮を示せれば、なおいい。

□×「○○部長は席におりません」→○「部長の○○は、ただいま席を外しております」

自社の部長を社外の人に対して「○○部長」と呼ぶのは常識から外れている。「部長の○○は」と言うのが、ビジネス用語。また「おりません」も、否定形の言葉が冷たい印象を与えるので、「席を外しております」と言い換えたい。

□×「○○は直帰《ちょっき》しました」→○「○○は出先より直接帰宅いたしました」

「直帰」は「直接帰る」の略語であり、取引先に対して用いるのは失礼。謙譲語の「いたしました」を用いて「直接帰宅いたしました」としたい。

□×「加藤はお休みをとっています」→○「加藤は休みをいただいております」

この場合、休みをとっているのは、自社の人間だから、「お休み」と「お」を付けて話すと、身内に敬意を表していることになってしまう。「おります」という謙譲語を使い、「加藤は休みをいただいております」と言うのが正解。

□×「戻りは何時ごろでしょうか」→○「何時ごろ、お戻りになりますでしょうか」

「戻り」は内輪同士で使う言葉であり、取引先の人などに使うのは失礼。「〜でしょうか」も敬意が含まれていないので、「お戻りになりますでしょうか」か「お帰りになりますでしょうか」と尋ねたい。

□×「折り返しお電話をいただけますか」
↓○「お帰りになりましたら、○○までお電話をいただきたいのですが」

「いただけますか」は、相手に命令するようでぞんざい。「〜していただきたいのですが」なら、相手に不快感を与えない。「折り返し」も「すぐに」という意味なので、自分の行動には使えても、相手側に使うのは失礼になる。

□×「戻りましたら電話させます」
↓○「戻りましたら、電話を差し上げるよう申し伝えます」

「電話させます」だけでは、相手への敬意不足。「差し上げます」と謙譲語を使い、さらに自分自身の行為にも「申し伝えます」と、謙譲語を用いる。

□×「わたしが代わってお話をお聞きします」
↓○「わたくしでよろしければ、ご用件を承ります」

担当者が不在のとき、自分が代理で聞くのが決定事項のように言うのは、高飛車な印象を与える。まず「よろしければ」と相手の都合を尋ね、そのうえで「承ります」と謙譲語を使うところ。

□×「伝言を伝えてもらえますか」↓○「伝言をお願いしたいのですが」

「伝言」という熟語には「伝える」という意味が含まれているから、「伝言を伝える」は二重表現。また、「〜もらえますか」も、要求を押しつけているようで失礼。ここは、「伝言をお願いしたいのですが」と言うのが正解。

□×「メモをとってくれますか」↓○「恐縮ですが、メモをお願いできますでしょうか」

「メモをとってくれますか」という言い方は、命令しているようで、いかにも失礼。人に物事を頼む場合は、まず「恐れ入りますが」「恐縮ですが」で始め、「お願いできますでしょうか」としめくくること。

□×「こっちから連絡します」↓○「こちらから連絡いたします」

後で返答したいとき、「こっちから連絡します」と言ってはダメ。「こっち」や「そっち」は、語感が軽くビジネスには不適切なので、「こちら」「そちら」を使うようにしたい。また「連絡します」も、謙譲語の「いたす」を使って、「連絡いたします」としたい。

□×「また電話します」↓○「またお電話させていただきます」

単に「電話します」では、「電話する」を丁寧に言っているだけで、敬意が込もっていない。この場合、電話をするのは自分なので自分の行為をへりくだり、「させていただく」を使う。さらに電話に「お」を付け、「お電話させていただきます」というのが正解。

9 訪問先で使いこなしたい大人のフレーズ

□×「○○さんはおられますか」↓○「○○さんはいらっしゃいますか」

取引先を訪問したときなど、「○○さんはおられますか」と尋ねるのは、変な日本語。「おる」は「いる」の謙譲語で、自分や自分の側の人間に対して使う言葉。正しくは「○○さんはいらっしゃいますか」となる。

□×「お会いしたいのですが」↓○「お目にかかりたいのですが」

「お会いする」も丁寧な表現ではあるが、目上や初対面の人に用いるには、いささか敬意不足。「会う」の尊敬語である「お目にかかる」を使い、「お目にかかりたいのですが」と言うと、こなれた敬語になる。

□×「すみませんが、取り次いでもらえますか」
↓○「恐れ入りますが、お取り次ぎ願えますでしょうか」

「すみませんが」は日常会話用の言葉。ビジネスシーンでは「恐れ入りますが」を用いる。また何か頼むときは、「〜してもらえますか」ではなく、「〜願えますか」と改まった言葉で頼みたい。

□×「いつ帰ってまいられますか？」↓○「いつお帰りになりますか？」

「まいる」は「来る」の謙譲語であり、自分や自分側に属する人に使う言葉。相手側の人間には使えない。相手側には尊敬語を使い、「いつお帰りになりますか？」「いつ戻られますか？」と尋ねるのが正しい。

□×「お茶で結構です」↓○「はい、ありがとうございます」

訪問先で「お茶でよろしいですか」と聞かれたとき、「お茶でけっこうです」と答えてはダメ。「で」を使うと、「お茶で我慢する」というニュアンスが含まれてしまう。

単に「はい、ありがとうございます」と答えればいい。

□×「お邪魔します」→○「失礼いたします」

取引先などを訪ねたとき、「お邪魔します」では不自然。自分ではへりくだったつもりでも、こなれていない印象を与えてしまう。こんなときは「失礼いたします」が自然。

□×「時間を作ってもらってすみません」

→○「お時間を作っていただき、ありがとうございます」

「時間を作ってもらってすみません」は、大人としてはいただけないフレーズ。「(お忙しいところ)お時間を作っていただき、ありがとうございます」という、大人らしい表現をマスターしておきたい。

□×「そろそろお邪魔しないと」→○「そろそろおいとましないと」

訪問先でそろそろ帰ろうというとき、「そろそろお邪魔しないと」と言う人がいるが、これは誤用。「お邪魔する」は「訪問する」の言い換えなので、意味がまったく別になってしまう。ここは、「そろそろおいとましないと」というところ。

□×「また来ます」↓○「またうかがいます」

後日また訪問することになったとき、「また来ます」と言ってはダメ。「来ます」は「来る」を丁寧にしているだけで、尊敬のニュアンスは含まれていない。謙譲語の「うかがう」か「参る」を使って、「またうかがいます」「また参ります」と告げたい。

10 来客にキチンと対応できますか？①

□×「受付はこちらになります」↓○「受付はこちらでございます」

訪問客に受付の場所を教えるとき、「受付はこちらになります」というのは、日本語としてヘン。受付は「なる」ものではなく、「ある」もの。「ある」の丁寧語は「ございます」なので、「こちらでございます」と案内するのが正解。

□×「お約束ですか」↓○「お約束はいただいておりますでしょうか」

訪問客にアポイントの有無を尋ねるとき、「お約束ですか」と聞くのはいささか不作法。「お約束はいただいておりますでしょうか」と聞くのが、正しい日本語。

□×「斉藤様でございますか」↓○「斉藤様でいらっしゃいますか」

「ございますか」は単なる丁寧な表現で、「いらっしゃる」は「いる」の尊敬表現。後者を使ってはじめて、相手への気づかいを表現できる。

□×「どなた様ですか」↓○「いらっしゃいませ。失礼ですが、どちら様でしょうか」

「どなた」は「誰」の尊敬語だが、見知らぬ来客にいきなり誰かと尋ねるのは失礼。まず「いらっしゃいませ」と挨拶し、名前を尋ねる非礼を断ったうえで尋ねたい。

□×「どなたをお呼びしましょうか」↓○「誰をお呼びしましょうか」

お客に対して「どなたをお呼びしましょうか？」と聞いてはダメ。「どなた」は「誰」の尊敬語であり、社内の人間に対して尊敬語を使うのはおかしい。「誰をお呼びしましょうか」と聞くこと。

□×「どういうご用件でしょうか」↓○「よろしければご用件を承ります」

訪ねてきたお客に、「どういうご用件でしょうか」と声をかけるのは失礼。前述のとおり「よろしければご用件を承ります」と、相手に判断をまかせる表現にしたい。

□×「お名前を頂戴できますか」↓○「お名前をうかがってもよろしいでしょうか」

「頂戴する」は「もらう」「食べる」の謙譲語であり、「名前を頂戴する」というのは変な日本語。ここは「お名前をうかがってもよろしいでしょうか」「どちら様でいらっしゃいますか」と尋ねるところ。

□×「隣の窓口で伺ってください」↓○「隣の窓口でお聞きください」

「伺う」は、目下から目上に物事を聞くときの謙譲語。それをお客の行為に使っては失礼になる。「隣の窓口でお聞きください」「お尋ねになってください」と言うのが正しい。

□×「しばらくお待ちしてください」↓○「しばらくお待ちください」

「お待ちして」は「お待ちする」が変化した形だが、この「お～する」という形は、自分の行為に用いる謙譲語。お客の動作に用いるのはおかしい。「お～くださる」という形を使って、「お待ちください」とするのが正解。

□×「お座りになってお待ちください」↓○「お掛けになってお待ちください」

「お座り」は「座る」の尊敬語だが、飼い主が犬に命じるセリフでもある。そこで使用を避け、「掛ける」と言い換え「お掛けになってお待ちください」と言ったほうがベター。

□×「応接室にご案内します」
↓○「応接室でお待ちいただくようにと申しております。ご案内いたします」

上司の指示で来客を応接室に案内するときは、ただ「ご案内します」ではなく、上司の指示であることが相手に伝わるように述べたい。相手には「お待ちいただく」と尊敬語を使い、上司のセリフには「申しております」と謙譲語を使おう。

□×「お待たせしてすみません」↓○「お待たせして失礼いたしました」

「すみません」では日常的すぎて、お客に対する言葉としては不適当。この場合、「お待たせして失礼いたしました」と言ったほうがいい。さらに深い謝意を表したいときには、「申し訳ございません」がふさわしい。

□×「部長はお食事に出かけました」↓○「部長の○○は食事に出かけております」

自分や身内の人間の行為に、敬意を表す「お」はつけられない。また「出かけました」という言葉も、謙譲語の「おります」を使って「出かけております」とするのが正解。

□×「よかったら、お読みください」↓○「よろしかったら、ご覧になってください」

「よかったら、お読みください」というのは、幼稚な感じのする言葉。「よかったら」を「よろしかったら」に変え、また「読む」を尊敬語「ご覧になる」に変えて、「よろしかったら、ご覧になってください」というのが、大人の日本語というもの。

□×「お出直しくださいませんでしょうか」
↓○「時間を改めて、お越しいただけないでしょうか」

「出直す」という言葉には、相手を軽んじる響きがあって失礼。「時間を改めて、お越しいただけないでしょうか」と言い、「ただいま取り込んでおりますので」「ご足労ですが」「恐縮ですが」といった言葉をつけ加えるとよい。

11 来客にキチンと対応できますか？②

□×「木村さんという方がお見えです」↓○「木村様とおっしゃる方がお見えです」

「木村さんという方」では、「さん」にも「という」にも敬意が含まれていない。「さん」を「様」に変え、「言う」の尊敬語「おっしゃる」を用いて、「木村様とおっしゃる方がお見えです」といいたいところ。

□×「田中様が見えられました」↓○「田中様がお見えになりました」

「見えられました」は、「来る」の尊敬語の「見える」に、「～する」の尊敬語「られる」をつけた二重敬語。「お見えになりました」のほうが表現としてこなれている。

□×「お客様をお連れしました」↓○「お客様をご案内しました」

「お連れしました」では、子供を連れてきたようで、お客に対して失礼。「案内する」を使い、「お客様をご案内しました」と言えば、しぜんに敬意を表せる。

12 冠婚葬祭の正しい日本語――結婚式編

□×「今日はおめでとうございます」↓○「本日はおめでとうございます」

結婚式のような晴れの場でスピーチするときは、「本日は」という改まった言葉を使いたい。「今日は」は日常語。

□×「本日は雨で、あいにくのお日柄ですが」↓○「本日はまことにいいお日柄で」

「日柄」は「大安」や「先勝」など、その日の吉凶、縁起の善し悪しを言う言葉であり、当日の天気とは関係ない。天気について言いたければ「あいにくの天候ですが」だが、披露宴ではネガティブなことは口にしないほうがいい。

□×「重ねておめでとうございます」↓○「二つのお喜び、おめでとうございます」

「再婚」をイメージさせる「重ねて」は披露宴では禁句。結婚と栄転が重なったときなどには、「二つのお喜び」と表現すればいい。なお「重ねる」のほか、披露宴では「再び」「戻る」「帰る」「終わる」「切れる」なども禁句。

□×「ふたたび盛大な拍手を」↓○「さらに盛大な拍手を」

結婚式では、「ふたたび盛大な拍手をお願いします」というのもダメ。「ふたたび」が「ふたたび結婚する」につながるため、忌み言葉とされる。「もう一度」「再度」なども同様で、この場合は「さらに盛大な拍手を」と表現すればいい。

□×「高いところから失礼いたします」↓○「この場をお借りしてご挨拶申しあげます」

スピーチのさい、「高いところから失礼します」というのは、かえって失礼。単に

「この場をお借りしてご挨拶申しあげます」と言えばいい。

□×「新郎新婦のケーキカットです」↓○「新郎新婦がケーキにナイフを入れます」

結婚披露宴では、縁が切れることを連想させる「カット」や「切る」は忌み言葉になる。「ケーキカットです」ではなく、「ケーキにナイフを入れます」、あるいは「入刀」に言い換えること。

□×「お料理が冷めないうちに」↓○「お料理が温かいうちに」

結婚披露宴では、「お料理が冷めないうちにお召しあがりください」とは言わないこと。「冷める」は「二人の仲が冷める」につながるため、忌み言葉とされる。「お料理が温かいうちに」と言えばいい。

□×「祝電がまいっております」↓○「祝電をいただいております」

これは敬語の誤用。「まいる」ではなく、受け取った祝電には謙譲語の「いただく」を使うのが正解。

13 冠婚葬祭の正しい日本語――お葬式編

□×「このたびはとんだことに」↓○「このたびは思いがけないことで」

通夜や葬儀の席で、遺族に対して「このたびはとんだことに……」「大変なことで……」と言ってはダメ。「このたびは思いがけないことで……」というのが、決まり文句。

□×「かえすがえすも残念です」↓○「まことに残念です」

「かえすがえす」「重ね重ね」といった繰り返しの言葉は、葬儀では禁句。繰り返しの不幸を連想させる忌み言葉として嫌われる。「たびたび」「またまた」「ふたたび」「つづく」なども同様。単に「まことに残念です」と言えばいい。

□×「ご愁傷さまです」↓○「このたびはご愁傷様でございます」

遺族に会ったとき、単に「ご愁傷さまです」と言うと、言葉が短い分、いささかぶっきらぼうに聞こえる。「このたびはご愁傷さまでございます」のほうがいい。

□×「ご参列の皆様」→○「ご臨席の皆様」

これは敬語の誤用。「参列」は「参る」という謙譲の意味を含むので、自分が出席することについて用いる語。来てくれた人に対しては、「ご臨席」「ご来臨」を使うのが正しい。

□×「このたびはご出席ありがとうございます」
→○「このたびは、ご会葬ありがとうございます」

通夜や葬儀に「出席」という言葉を使うのは不似合い。「ご会葬」がふさわしい日本語。

Step

3

さりげなく使いこなしたいカタカナ語

1 ズバリ！基本のカタカナ語

□**イシュー**（issue）……論点、問題点のこと。英語では「出版物」という意味もある。アメリカの雑誌などの見出しによく使われる言葉だが、最近は日本の政治家が「大臣はこのイシューの意味がよくわかっていない」などと使うことも多い。「このイシューの問題点は、どこにあるか」と言うと、「問題点の問題点」と意味が重なるので、変な日本語になる。

□**キッチュ**（kitsch）……もとは、俗悪、悪趣味、まがいものといった意味のドイツ語。最近は否定的な意味ではなく、わざと悪趣味に走ったり、本来の目的とは違った用途に用いたりして、それを楽しむ状態を指す。「明治時代の風俗店を思わせるキッチュな空間が、人目をひく」などと用いる。

□**アーカイブ**（archive）……資料などをあとで組織的に収集し、保管したもの。または、その保管機関。原義は「公的記録」だが、いまは「公」にこだわらず、単に記録、資料、史料、その保管庫の意味で使う。とくに最近は、大規模な電子情報を圧縮し、ファイルにまとめたものを指す。「そろそろ、昭和のアーカイブをきちんと残さないと、手遅れだ」などと用いる。

□**ギミック**（gimmick）……仕掛けやからくり、巧妙な小道具の意味。テレビや舞台、プロレスなどで、「お客を引きつけるための仕掛け」という意味でよく使われる。仕掛けがあまりにその場しのぎ的なときは、ネガティブな意味にもなる。「ギミックに頼っているうちは、本物の芸人とはいえない」などと用いる。

□**パースペクティブ**（perspective）……遠近法。見取り図。最近は、将来の見通し、展望という意味でよく用いられる。「この会社には、パースペクティブがない」というと、将来の展望がないことを嘆く意味になる。「現状べったりで考えるよりも、もっとパースペクティブに見たほうが建設的だ」などと用いる。

□**パラドックス**（paradox）……逆説。「アキレスは亀を追い越すことはできない」といった、つじつまが合わない理屈にも使うが、多くは真理を含んだ逆説的な表現を指す。たとえば、「急がば回れ」など、一見矛盾しているかに見えて、じつは正しいと思われる説。「パラドックスのようだが、変わらない人生を送りたければ、まずは自分が変わるしかない」などと用いる。

□**メンタリティ**（mentality）……知能、精神活動、精神状態といった意味があり、最近は精神・心理状態に関わるさま全般を指す。「メンタル・ヘルス（mental health）」は、精神衛生。「メンタル・ヒーリング（mental healing）」は、暗示や精神集中による薬を排した治療方法。一方、「メンタル・ワーカー（mental worker）」は、頭脳労働者。

□**ポテンシャル**（potential）……潜在能力のある、可能性のあるという意味。個人の能力を指すとき、「彼のポテンシャルは、あの程度ではない」などと使うほか、組織や団体などに対しても用いる。たとえば、「あの会社のポテンシャルを考えるなら、株価の上限はもっと上だろう」などと用いる。

2 一体どんな評価？

□**ジャンク**（junk）……がらくた。廃品。無用なものの意味。「ジャンク・フード」と言えば、スナック菓子やファースト・フードのような手軽で栄養の乏しい食品のこと。「ジャンク・アート」は、がらくたを利用した芸術。「ジャンク・ボンド」は、格付けの低いがらくた同然の債券。

□**ファジー**（fuzzy）……毛羽立った、ふわふわのという意味もあるが、最近は曖昧な、不明瞭なという意味で使われることが多い。「男と女の世界は、1足す1イコール2ではなく、もっとファジーなものだ」などと用いる。コンピュータの世界では、人間の曖昧で柔軟な認識をコンピュータで処理させる機能を指す。

□**コンサバティブ**（conservative）……保守的な、伝統的なという意味。反対に、「進歩的な」という意味は「プログレッシブ（progressive）」。

□**フェイク**（fake）……にせの。ごまかし。模造品。美術の世界では、贋作。音楽の世界では、ジャズなどで即興でメロディを崩して演奏すること。ファッションの世界では、「フェイク・ファー（fake fur）」の略。

□**デコラティブ**（decorative）……装飾的なという意味。「デコラティブな空間」などと派手に飾りつけてあるものに使う。「デコラティブな装飾的空間」などというと、同じ意味が重なるから注意。「デコラティブな音楽」「デコラティブな花瓶」などと用いる。

□**ソフィスティケーテッド**（sophisticated）……もとは、純真さを失った、世間ずれした、詭弁を弄するといった否定的な意味。最近は、都会的に高度に洗練された、教養のあるという肯定的意味合いで、よく使われている。「彼は言葉遣いが巧みな、ソフィスティケーテッドされた人」といった場合、昔なら言葉巧みに人を操る人物のことになるが、いまは洗練された上品な言葉を使う教養人というニュアンスになる。

□**フレキシブル**（flexible）……曲げやすいという意味だが、最近は柔軟な、融通がきくといった意味でよく使われている。「どんなお客にもフレキシブルに対応するホテルマン」などと用いる。曲げるという意味の「フレックス（flex）」から来た言葉で、「フレックス・タイム（flex time）」は勤務時間の自由選択制のこと。

□**シュール**……フランス語の「シュールレアリズム（surréalisme）」の略。これは詩人アンドレ・ブルトンの唱えた「超現実主義」と称される芸術運動。理性的なものを排除し、夢や潜在意識などの世界を表現しようとしたもので、常識を揺さぶるような表現が少なくない。そこから「あれはシュールな音楽だ」などと、現実離れしたものを皮肉るときにも使う。

□シニカル（cynical）……冷笑的な、皮肉な、などの意味。古代ギリシャ哲学の一派であるキニク学派に由来する言葉。キニク学派は、無所有と精神の独立を目指し、現世を否定したり、からかったりした。そこから、今の冷笑的なという意味が生まれた。

□ステレオタイプ（stereotype）……英語のもとの意味は、印刷用のステロ版、鉛板のこと。そこから、固定観念、定型、紋切り型、決まり文句といった意味が生まれてきた。商品や企画に対し、ありきたりで個性も独創性もないという意味で使われる。「ステロタイプ」ともいう。

□エキセントリック（eccentric）……行動、習慣、意見などが一風変わった、あるいは常軌を逸しているという意味。さらに、今の日本では、ひどく変わっている、奇人の、ヒステリックな、という意味でも用いられている。「彼の意見はちょっとエキセントリックだよ」など。

3 仕事で差がつくカタカナ語

□**ソリューション**（solution）……問題の解決。解答。とくに最近は、企業が新しいビジネスモデルの構築や情報システムの刷新に直面したときの解決法を指す。「いまのリピーターから、さらにコアなリピーターをつくりだすための施設面のソリューションを図る」などと用いる。

□**スキーム**（scheme）……計画。体制。概要。とくに組織だった計画に使う。１９９０年代、不良債権の処理が問題になったころから、官僚や政治家の間でよく使われるようになった。「この不良債権を処分するスキームは、以下のとおりです」「そのスキームでは不十分だ」などと用いる。

□**セグメンテーション**（segmentation）……細分化。区分け。マーケティングの世界では、市場を分けて分析したうえで、それぞれの市場に合わせた販売や広告を展開することを指す。「セグメンテーションのやりすぎで、大きな市場をとらえそこなった」などと使う。

□**インセンティブ**（incentive）……目標を達成するための刺激。いまの企業社会やスポーツ界では、「報奨金」の意味で使われる。とくにプロ野球では「インセンティブ契約」という言葉が近年よく使われるが、これは出来高払いのこと。「うちの会社は、頑張ろうにも、何のインセンティブもなくってね」などと用いる。また、消費者用の景品についても、この言葉を使うことがある。

□**コミッション**（commission）……手数料、仲介料。正当な仲介料だけでなく、「賄賂」の意味もある。「コミッションがないことには、この仕事は請け負えません」などと。ほかに「委員会」という意味もある。「コミッショナー」はその長。

□**ニッチ**（niche）……もとは、壁のくぼみのことや適所を意味する。最近のビジネスでは、隙間という意味で使われ、たとえば「ニッチ産業」と言えば、大手企業が手をつけていない、狭い市場で活動する隙間産業のこと。また、「ニッチ戦略」は、あらかじめ特定の分野に絞り込んで、集中的に経営資源を投入するマーケティングの手法。

□**ルーチン**（routine）……いつもしている、という意味。「ルーチン・ワーク（routine work）」は、日常の決まりきった仕事。コンピュータの世界では、プログラムの構成要素の中で、一つのまとまりのある機能を果たす部分のこと。汎用ルーチン、共通ルーチンともいう。「ルーティン」とも表記する。

□**フィードバック**（feedback）……帰還、反応といった意味。ビジネスの世界では、企業や商店が情報やサービスを送り、顧客や消費者からの反応を受け取ること。このフィードバックによって、企業や商店は情報やサービスの改善を考えることができる。コンピュータの世界では、出力したものを入力側に戻して、調節すること。

□**アントレプレナー**（entrepreneur）……起業、とくにベンチャー・ビジネスの起業家。フランス語の「アントルプレヌール（請負業者、企業家）」が英語化し、日本ではもっぱら脱サラして会社を起こす意味になった。「私も明日からアントレプレナーを目指し、新事業を起こす」という人も少なくないが、もとの意味が企業家であることからすれば、かならずしも新分野の事業でなくともいいことになる。

□イノベーション（innovation）……技術革新。従来とは異なった新機軸。単に技術分野だけでなく、経営や組織の革新にもよく使う。「これからの産業界の動きについていくため、私たちの会社でも、まずは組織のイノベーションが必要だ」などと使うが、乱発すると上滑りになるので注意。

□コンテンツ（contents）……書籍・雑誌、テレビ番組、ホームページなど、情報媒体の中身を指す。「A社のHPはコンテンツが貧弱だ」「いまやフィギュア・スケートは、テレビになくてはならないコンテンツだ」などと用いる。

□アウトソーシング（outsourcing）……社外委託、外部調達と訳され、外部の専門企業に社内業務を委託すること。おもに社内の事務やコンピュータ・システムの運用などを社外の業者に委託することに使われる。狙いはもちろん低コスト化である。

□ダウンサイジング（downsizing）……規模や形を小型化すること。とりわけ近年の日本では、企業経営で、経営合理化のため、組織をスリムにし、人件費などを圧縮することを指すことが多い。そのため、事実上、従業員を解雇・レイオフするリストラと、同義語のように使われている。

□**アカウンタビリティ**（accountability）……対外的に自らの行為の理由を説明する責任。とりわけ政府や行政が、自らの判断や行為について、国民が納得するように説明する責任。近年では、行政責任の一つに組み込まれつつある。企業では、経営側が会社の財務状況、経営戦略の展開や成果について、株主らに説明する責任。

□**オーガナイズ**（organize）……英語としては、準備する、手配する、整理する、系統立てる、組織する、編成するなど、さまざまな意味があるが、今の日本ではおもに「組織する」の意味で使われている。名詞の「オーガニゼーション（organization）」は、組織、団体、公的機関のこと。経営用語で使われる「オーガナイジング・アビリティ」は、仕事、組織、人材など異なるものを組み合わせて、相乗効果を図る企画力のこと。

□**クライアント**（client）……弁護士や会計士、広告会社、建築家などの依頼人、ホテルなどの得意客、社会福祉サービスの利用者など。ほかに、カウンセリングの相談者という意味もある。日本では、横文字を多用する広告業界から広まり、幅広く使われるようになった。

□ディベート（debate）……討論、議論、論争、討論会、熟慮《じゅくりょ》といった意味があるが、近年は討論、議論のスタイルを指す言葉としてよく使われる。定められたルールに従い、一つのテーマに対して肯定側と否定側の二つに分かれて討論し、説得性を競うもの。

□キャパシティ（capacity）……「劇場のキャパシティ」など、収容能力、定員、容量の意味でよく使われるが、ほかに能力、才能という意味もある。「ビジネス・キャパシティ」といえば、実務の才能。ほかに、会社や機械などの最大生産能力、エンジンなどの総排気量などの意味もある。収容能力を指すときは「キャパはどれくらい？」など、「キャパ」と略されることが多い。

□シミュレーション（simulation）……実際に実験するわけでなく、実際と同じ状況をつくりだし、そこで予測などを行うこと。あるいは、データを基に作ったモデルが、実際にはどうなるか試してみること。とくに最近は、コンピュータを使った模擬実験の意味でよく用いる。また、見せかけ、偽ることという意味があるため、サッカーでは審判を欺くプレイを指す。

□**パフォーマンス**（performance）……演技。催物。とくに言語や音楽などに頼らず、肉体のみで表現する前衛的なものや、街頭での突発的なものを指す。また、成果、性能、実績という意味もあり、「この車はパフォーマンスが高い」のように、総合的な性能を表すときにも用いる。コンピュータの世界ではハードやソフトの性能、人間に使う場合、実績や成果の意味にも使われる。

□**オプション**（option）……選択肢。選択の自由。自動車やパソコン、オーディオ機器、旅行の世界では、標準的な内容に、顧客が自分の好みで加えるものを指す。その場合、「オプショナル・パーツ」「オプショナル・ツアー」とも言う。一方、経済用語の「オプション取引」は、株式をはじめとする商品を一定期間内ならば一定量をいつでも指定価格で売買できる取引のこと。

□**オフレコ**……「オフ・ザ・レコード（off the record）」の略で、非公開、非公表という意味。記者会見などで一般に公表しないことを条件にして話す内容。「オフレコで新聞記者たちに話した内容が、紙面に載って窮地に立たされた」という政治家が後を絶たないくらい、この言葉は意味どおりには守られないことが多い。

4 なぜかよく聞くカタカナ語

□**ドメスティック**（domestic）……家庭的な、家事の、といった意味。ほかに、国内の、という意味もある。近年よく耳にする「ドメスティック・バイオレンス（domestic violence）」、略して「DV」、家庭内暴力のこと。「ドメスティック・サイエンス」は家政学。

□**エスニック**（ethnic）……民族的な、民族特有のという意味。ただし、わが国では、欧米に対して用いることはなく、アジアやアフリカ、ラテンアメリカなどのファッション、音楽、料理を語るときに使う。「ドイツのエスニック料理」といった言い方はしない。「エスノ」は民族音楽。「エスニック料理」には、アジアやアフリカのスパイスのきいた料理が多いが、辛い料理を意味しているわけではない。

□**ヘゲモニー**（hegemonie）……主導権。指導力。覇権という意味のドイツ語だが、英語化もしている。「軍隊を送り込み、ヘゲモニーを握る」「太平洋のヘゲモニーを賭けての争い」などと使う。「ヘゲモニズム（hegemonism）」は、大国が自国の影響力を広げるための対外拡張政策。

□**アイデンティファイ**（identify）……同一人物であることを確認する。本人であると認めること。名詞の「アイデンティティ（identity）」は、自分が自分である認識、自己同一性といった意味。「このまま命令に従ったのでは、自分の社会人としてのアイデンティティが崩れてしまう」などと使う。「アイデンティティ・クライシス（identity crisis）」は自己喪失。

□**オルタナティブ**（alternative）……二者択一。代案。最近は、伝統的に確立されたものに替わる、新しい制度や思想、価値観の意味でよく使われる。「過去の成功体験にとらわれないオルタナティブなアイデアが必要だよ」など。「オルタナティブ・メディシン」と言えば、西洋医学以外の漢方や整体などの医療を指す。

□**サンクチュアリ**（sanctuary）……宗教上の聖域。宗教以外の場でも、「侵してはならない神聖な場所」に対して使う。さらには、「敵の攻撃を受けない安全地帯の意味」にも使われ、禁猟区、鳥獣保護区の意味にも用いられる。「あの山は、この周辺に住む人にとってはサンクチュアリであり、入山してはいけない」などと用いる。

□**リテラシー**（literacy）……本来は「読み書き能力」の意味だが、そこからある分野における能力・知識を指すようになった。たとえば「メディア・リテラシー」は、メディアを上手に使いこなし、役立てる能力のこと。「コンピュータ・リテラシー」は、コンピュータを運用する能力。「情報リテラシー」は、多様な情報メディアを利用し、活用する能力。

□**エスタブリッシュメント**（establishment）……設立、制定、組織、施設などのさまざまな意味があるが、「それは、エスタブリッシュメントの意見だよ」などと使われるときは、支配層、組織の上層部、体制側、主流派などを意味する。

□**キャプテンシー**（captaincy）……「キャプテン（captain）」は、船長や機長、スポーツチームの主将、指導者などの意味。キャプテンシーは、そこから派生して、キャプテンの果たす役割、指導力の意味で用いられる。「彼はキャプテンシーのある主将だった」など。

□アイロニー（irony）……皮肉、皮肉な事態、当てこすり、風刺などの意味があるが、ほかに「反語的な」という意味もあり、自分の考えをより強調するため、あえて反対の表現を用いること。「アイロニーに満ちた表現」などと使われる。

□ラビリンス（labyrinth）……迷路、迷宮のこと。ギリシャ神話で、クレタ王ミノスは、妻の産んだ牛の頭をもつ怪物ミノタウロスの始末に困り、名工ダイダロスにミノタウロスを閉じ込める迷宮を造らせた。それが、ギリシャ語の「ラビュリントス（labyrinthos）」で、ラビリンスの語源。

□デジャビュ（deja vu）……既視感。既視体験。実際には一度も体験したことがないのに、いままでに体験したことのように感じるというフランス語。「初めての町なのに、曲がり角の先には床屋があるというデジャビュにとらわれた」などと使う。逆に、いつも見慣れているのに、初めて見るように感じるのは、「ジャメ・ビュ（jamais vu）」。

5 ニュースがわかる！ カタカナ語

□**アジェンダ**（agenda）……公式に取り組むべき議題。あるいは議事日程、行動計画のこと。「君たちの立てたアジェンダは、根本からおかしい」などと使う。とくに官公庁では、「行動計画」の意味で用いる。個人が「私の今年のアジェンダは、釣りを極めることで」と、個人的な〝行動計画〟の意味に使うのはちょっとおかしい。

□**カルト**（cult）……もとは、宗教的礼拝、崇拝といった意味だが、いまでは社会的に邪教とされる宗教集団を指す。また、特定のものに異様なくらいに詳しいこともいう。たとえば、「カルト・ムービー」といえば、少数だが、熱狂的なファンに支持される映画のこと。ほかにも「カルト漫画」「カルト文学」などが、よく使われる。

□**スローフード**（slow food）……伝統的な質のよい食文化を守り、良質な食材を育てる生産者を応援する運動の総称。北イタリアから起こった運動であり、ファーストフードの世界的な流行を皮肉り、かつ、その反対をいくものとして生まれた。今では一般名詞化し、「今度の日曜は、スローフードにしない?」などと用いる。

□**カウンターカルチャー**（counterculture）……対抗文化。反既成文化。「カウンター（counter）」には反対の、逆のという意味があり、おもに既成社会の価値観を打ち壊すような若者文化を指す。とくに1960年代後半、アメリカの若者による反体制文化を指す。

□**バーチャル・リアリティ**（virtual reality）……仮想現実。コンピュータによってつくられた立体映像や人工触覚などを利用した、現実そっくりの感覚を生み出す装置。また、それによって生み出される空間。「ゲームばかりしていると、バーチャル・リアリティと現実の区別がつかなくなる」などというのは、近年よく耳にする指摘。

□**グローバルスタンダード**（global standard）……世界標準、国際標準のこと。企業活動や金融システム、さらにはハイテク機器の規格、生活の安全基準まで、世界を視野に入れた基準のこと。企業内部にあっては、世界と対等な競争ができる仕組み、システムのこと。

□**アセスメント**（assessment）……評価、判定のことだが、日本では「環境アセスメント（環境影響評価）」を指すことが多く、これは、事業者が開発を進める前に、その開発が自然環境にどのような影響を与えるかを調査・予測・評価すること。その後、市民らの意見も参考に、環境保全上、ふさわしい方向に事業を進めることが望まれる。

□**ヘッジファンド**（hedge fund）……一部の富裕層や機関投資家を顧客にする投資ファンド、資産の運用会社。「ヘッジ」には「両がけ」「掛けつなぎ売買」という意味があり、本来は相場の変動による損失を防御する投資手段を意味したが、現在では逆に、ハイリターン・ハイリスクな投機的手段を駆使する集団となっている。

□**プロトコル**（protocol）……本来は、外交上の儀礼、正式な礼儀作法、条約議定書という意味の外交関係の言葉。最近は、コンピュータの世界で「通信規約」という意味に使われている。規約で決められた手順に従うことで、コンピュータ間の通信が可能になる。

□**モラルハザード**（moral hazard）……倫理や道徳的節度が欠如している状態。官僚の多額接待、メーカーの欠陥商品の隠蔽、保険会社の保険金未払い、銀行の不正融資、研究者の研究論文の捏造などが、これに当たる。

□**インフォームド・コンセント**（informed consent）……医師が患者の治療、手術などに当たるとき、患者に十分な情報を提供すること。これまで、患者は、なかなか医師の判断に逆らえないことが多かったが、この仕組みによって、患者は自己決定できる自立した存在と見なされるようになりつつある。

□**バイオマス**（biomass）……ある地域に存在する生物の総量のこと。近年は「バイオマス・エネルギー」という形で、エネルギー源となる生物体に対して使われることが多い。バイオマスの燃焼時や酸化時に得られる熱が、発電や動力などに利用される。代表的なバイオマスには、木材、わら、もみ殻、家畜ふんなどの動植物系に加え、生ゴミや下水の汚泥も含まれる。

□**デジタルデバイド**（digital divide）……情報格差のこと。インターネットに代表される情報技術をもつ者と、もたない者との格差のこと。情報技術を使えると、企業内などでの立場はよくなり、年収もアップする。反対に、所得、教育、居住地などの要因で、情報通信技術を使う能力を得る機会を得られないと、そういう利益が得られないといった状況を表す言葉。

□シビルミニマム（civil minimum）……「ナショナル・ミニマム（national minimum）」は、国が国民に保障しなければならない最低限度の生活水準のこと。こちらは、市民生活を営むための必要最低限の環境条件を意味する和製英語。その内容は、交通機関や社会福祉、教育、衛生、住宅など、多岐に渡る。

□ドナー（donor）……寄付する人、寄贈者の意味だが、近年は、臓器移植手術の臓器提供者という意味でよく用いられている。たとえば、目の提供者は「アイドナー」、腎臓の提供者は「キドニードナー」と呼ばれる。「ドナーカード」は、死後の臓器提供を承認するカードのこと。

6 気になる「あの業界」のカタカナ語

□**ヌーベル・キュイジーヌ**（nouvelle cuisine）……一九七〇年代に始まった、フランス料理の新しい傾向のこと。日本料理の影響を受け、軽いソースと新鮮な素材を活かした料理。盛りつけにも工夫が凝らされ、フランス料理の新たなスタイルとして定着した。なお「ヌーベル・シノワ」は、西洋料理の素材や盛りつけを取り入れた新しいタイプの中華料理。

□**デリカテッセン**（delikatessen）……もとはドイツ語で「高級食品」を意味したが、英語圏では調理ずみの食品やハム、ソーセージ、缶詰などの食料品や、それらを売る店という意味。今の日本では、もっぱらデパ地下などにあるお惣菜を売る店のこと。「デリカ」「デリカショップ」とも呼ばれる。

□**パティシエ**（pâtissier）……フランス語で、菓子職人・ケーキ作り職人のこと。フランス料理では、主菜を作る料理人と、デザートを作る料理人が分かれていて、デザートを作るほうの人を「パティシエ」という。なお、チョコレートを専門に作る職人は、「ショコラティエ（chocolatier）」と呼ばれ、「パティシエ」とは違う専門職。

□**ツーフィンガー**（two fingers）……グラスの底から指幅二本分の位置まで注がれたウイスキーのこと。指一本分のワンフィンガーで、約三〇ミリリットル（シングルに相当）のウィスキーとなる。ツーフィンガーなら、その倍で、ダブル（六〇ミリリットル）に相当する。

□**オートクチュール**（haute couture）……フランス語で、「オート」は高級な、「クチュール」は婦人服仕立業という意味で、本来は高級婦人服仕立店のこと。とくに、パリの高級衣装店協会の加盟店を指す。日本では、おもに高級婦人服店やデザイナーによる特別仕立ての服に対して使われている。ちなみに、高級でも既製服（特別仕立てではないもの）は、プレタポルテ。

□**グランドスラム**（grand slam）……テニスなら全豪オープン、全仏オープン、全英オープン、全米オープン、ゴルフなら全米オープン、全米プロ、マスターズ、全英オープンすべてに優勝すること。野球では、満塁本塁打をいう。もとはトランプのブリッジの用語。

□**アイキャッチャー**（eye-catcher）……本来は人目を引くもの、目玉商品という意味だが、日本の広告業界では、人目を引きつける宣伝用の絵柄や写真のこと。広告業界では、美女（beauty）、赤ん坊（baby）、動物（beast）のいわゆる「３Ｂ」が、よいアイキャッチャーとされる。

□**サブリミナル**（subliminal）……「意識下の」「潜在意識の」という意味。「サブリミナル効果」の略としても使われる。サブリミナル効果は、広告映像などを瞬間的にテレビや映画などに挿入し、視聴者の潜在意識に働きかけるという、広告手段の禁じ手。

□**アンソロジー**（anthology）……テーマや形式を決めた文学作品の選集のこと。「鉄道をテーマにしたミステリー作品集」や「酒をテーマにしたエッセイ集」などが、これにあたる。もとは小説集や詩歌集、随筆集などにかぎって使われたが、今はジャンルが広がり、名曲集、名画集などにも用いられている。アンソロジーの編者はアンソロジスト。

□**ノベライゼーション**（novelization）……ヒットした映画やテレビ・ドラマ、ゲーム、マンガなどを小説化すること。かつては小説が映画化やドラマ化されたものだが、今はその逆のケースも増えている。シナリオを膨らませて、サイドストーリーや背景事情を描き込み、ファンがもとの作品以上に物語を深く味わえる仕掛けになっている。

□**メタファー**（metaphor）……隠喩。暗喩のこと。ただ、この言葉を使うと、奇をてらった言い方になりやすく、相手によってはまったく伝わらないことが多いので要注意。

□**レトリック**（rhetoric）……修辞学。美辞学。言葉を効果的に使って感動を呼ぶ、文章技術の学問。「反発を感じるところだったが、彼独特のレトリックに、思わず引き込まれた」などと使う。最近は「彼一流の言い逃れのレトリックに、彼女はだまされている」など、上手な言い回しや、美辞麗句や誇張表現を巧みに使って、ごまかす意味によく使われる。

□**インターフェイス**（interface）……二つ以上の構成要素の境界面、接触面、中間領域のこと。とくにコンピュータの世界では、コンピュータの二つ以上の装置をつなぐ部分を指すだけでなく、コンピュータと人間の情報交換の装置もいう（これをマン・マシーン・インターフェイスとも言う）。「インターフェイスの進化が、次世代コンピュータの鍵だ」などと用いる。

□**スラップスティック**（slapstick）……それ自体は「劇場で道化が相手を叩く棒」の意味だが、一般には「スラップスティック・コメディ（slapstick comedy）」の略で、どたばた喜劇のこと。もとはアメリカの映画監督マック・セネットが創始した、話が急展開する喜劇を指したが、いまは庶民的な笑いのどたばた喜劇や低俗などたばた喜劇を指す。

□**リミックス**（remix）……ミキシングし直した録音のこと。最近では、おもにヒット曲を新たなバージョンに作り換えることをいう。リズムや曲の長さを変える、新たな楽器を加えるなど、その手法はさまざま。一九八〇年代のディスコで、「好きな曲にのって、もっと長く踊りたい」というニーズから生まれた。

□**インディーズ**（indies）……音楽業界でよく使われる用語で、独立プロのこと。大きなレーベルに属さず、低予算の小さな自主制作の音楽会社。あるいは、そこで製作されたＣＤ。ファッション業界でも「インディーズ・ブランド」などと使われている。

□**オムニバス**（omnibus）……もとはラテン語で「万人向き」の意味。多数のものを含むという意味があり、最近は映画やドラマ、劇などで、複数の作品を一つのテーマでまとめ、一つの作品にしたものを指すことが多い。また、一人の作家のいろいろな作品をまとめた廉価版作品集のことも指す。「恋愛について集めたオムニバスＣＤが発売された」などと用いる。

特集1

一目おかれる言い回し 恥をかく言い回し

1 誤用の日本語チェックテスト

※以下の、各文章の誤りはどこでしょうか。

Q1 サーカスの動物たちが愛想をふりまく。

Q2 先生からの注意事項を頭に留めて出発した。

Q3 高い熱にうなされてうわごとを言う。

Q4 揚げ足をすくわれないよう言葉に注意する。

Q5 プロジェクト参加への打診を、ひとつ返事で快諾した。

Q6 発表会の演奏が無事に終わったので、肩をなで下ろした。

Q7 新製品は、五日間で完売するほどの好評を取った。

Q8 英会話教室に、隔週おきに通っている。

Q9 濡れ手で泡のような儲け話を持ちかけられる。

Q10 必死の抗議も、取りつく暇もなく却下された。

Q11 私では役不足ですが、喜んで務めさせていただきます。

Q12 前回敗北したので、今回の対戦で汚名挽回を目指す。

Q13 あまりの暴言の数々に、怒り心頭に達した。

Q14 いくら気をつけていても、そこまでは目が回らない。

Q15 あの政治家は、押し出しが強いことで知られている。

A1　×愛想をふりまく↓○愛嬌をふりまく

「愛想」は人に対する好意のことだが、「愛想をふりまく」という慣用句はない。「愛想」は「尽かす」もので、「ふりまく」のは「愛嬌」。「愛嬌」は、相手を喜ばせるような言葉、ふるまいをいう。

A2　×頭に留めて↓○耳に留めて

「頭に入れる」という言葉はあっても、「頭に留める」という言葉はない。「留める」のは「耳」のほうで、注意して聞き、記憶に残すことをいう。

A3　×熱にうなされて↓○熱に浮かされて

高熱のため、意識がはっきりしなくなり、うわごとを言うような状態を「熱に浮かされる」という。「うなされる」のは「悪夢」のほう。

A4　×揚げ足をすくわれないよう
↓○揚げ足をとられないよう

「足をすくう」ことはできても、「揚げ足をすくう」のは不可能。「足をすくう」は、相手の隙をついて失敗させること。浮き足を意味する「揚げ足」には「とる」が続く。「揚げ足をとる」は、言い間違いや言葉尻をとらえて非難したり、からかうこと。

A5　×ひとつ返事↓○ふたつ返事

「ふたつ返事」は、快くすぐに承諾する返事の意味で使う。ところが、最近の社会人常識では、「はい、はい」と二つ重ねるのは失礼とされるところから、「ひとつ返事」という誤用が生じたようだ。

A6　×肩をなで下ろした↓○胸をなで下ろした

安心したとき、「肩」は「なで下ろす」ものではなく、「荷が下りる」もの。「なで下ろす」のは「胸」で、心配事が解決してホッとするという意味。

A7　×好評を取った↓○好評を博した

「好評を博する」あるいは「好評を得る」が正しい表現。似たような意味の言葉に「評判を取る」があるので、混同されるようだ。

A8　×隔週おき↓○隔週

二週間に一度と言いたいときは、「隔週」か「一週おき」。「隔」には、時間単位を一つとばすという意味があるので、「隔週おき」では言葉が重複してしまう。

A9　×濡れ手で泡→○濡れ手で粟
勘違いされがちだが、正しくは「粟」。濡れた手で粟をつかめば、多くの粟粒が手につくことから、骨を折らずに金儲けすることをいう。

A10　×取りつく暇もなく→○取りつく島もなく
頼りとしてすがるところ(島)がない様子を「取りつく島もない」という。「取りつく暇」は忙しい人にはなかなか接触できないことからの勘違いだろう。

A11　×役不足ですが→○力不足ですが
昇進人事を受けたとき、謙遜したつもりで「私では役不足ですが」と口にするのはよくある間違い。「役不足」は、力量に比べ、役目が不相応に軽いときに使う言葉。「力不足ですが」が適切。

A12　×汚名挽回→○汚名返上
「汚名返上」と「名誉挽回」は、混同されやすい。「挽回」は失ったものを取り戻すことなので、「汚名」を「挽回」では汚名をそそげない。「汚名返上」してこそ、「名誉挽回」につながる。

A13　×怒り心頭に達す→○怒り心頭に発す
「心頭」とは、心の中のこと。怒りは心の中からこみ上げてくるものなので、「達す」ではおかしい。怒りは、心の中で「発す」ものである。

A14　×目が回らない→○目が届かない
「目が回る」は非常に忙しい様子を表し、「そこまでは目が回らない」では意味が通じない。「そこまでは目が届かない」で、注意が行き届かないという意味になる。

A15　×押し出しが強い→○押しが強い
「押し出し」は風采、人目に映る態度。「押し出しがいい」とは使うが、「押し出しが強い」は間違い。「押しが強い」で強引であつかましい様をいう。

2 間違えたら恥ずかしい言い回し

×将棋を打つ↓○将棋を指す

将棋と碁には、それぞれ固有の言葉がある。「将棋指し」というように、将棋は「指す」ゲームであり、「将棋を打つ」とは言わない。「打つ」のは碁のほうだ。なお、オセロは盤上に次々と石を置くので「打つ」ゲーム。チェスは将棋と同じように駒を動かすので「指す」ゲームになる。

×彼女みたいな秀才↓○彼女みたいな才媛

「秀才」という言葉は男性専用で、女性には使わない。頭脳明晰《めいせき》な女性は「才媛」と呼ぶ。「秀才」とは、そもそも奈良・平安時代の官吏《かんり》養成機関である大学寮の首席のこと。大学寮に入るのは男子にかぎられ、女性はどんなに賢くとも「秀才」にはなれなかった。

×十指を超える↓○十指に余る

「十指」は十本の指のことであり、とくに際立ったものを数える数でもある。

「十指《じっし》を超える」でも意味は通じるかもしれないが、慣用表現にはない。慣用表現は「十指に余る」で、十本の指では数えきれないこと。

×上前をかすめる↓○上前をはねる

「上前」は「上米《うわまい》」の音が変化したもので、仕事や売買の仲介者が取る賃金や代金の一部のこと。「上前をかすめる」という慣用表現はない。「上前をはねる」が正しく、ピンはねのこと。

×耳をそむける↓○耳をふさぐ

「そむける」は「背ける」と書き、後ろや脇のほうを向くこと。「そむける」ことができるのは「目」や「顔」であり、「耳をそむける」ことはできない。「耳」に続くのは「ふさぐ」で、「耳をふさぐ」で聞かないようにするという意味になる。

×拍手が巻き起こる↓○拍手が沸き起こる

「拍手が巻き起こる」というのは、厳密にいえば間違い。「拍手」は「沸き起こる」ものだ。「巻き起こる」は、一時的に激しく盛んになることを表現し、「ブームが巻き起こる」などと使う。

×あわやホームラン→○あとわずかでホームラン

「あわや」は、危険などがその身に及ぶ寸前の様。「あわや追突」「あわや遅刻」と危機一髪の状態に使う。だから、守備側が使うなら、「あわやホームラン」でも間違いではないが、攻撃側や中立の立場のアナウンサーや解説者がこう言うと、おかしな表現になる。

×苦杯にまみれる→○苦杯を喫す（なめる）

「苦杯」は苦い酒を入れた杯であり、「まみれる」ものではない。「杯」なのだから、続くのは「喫す」か「なめる」だ。「まみれる」の前にくるのは「一敗地」。「一敗地にまみれる」で、二度と立ち上がれないほど大敗することをいう。

×心血を傾ける→○心血を注ぐ

「心血」は肉体と精神のすべてであり、「心血を注ぐ」は、心身のありったけの力を尽くすこと。同じ意味を表すとき、「傾ける」のは「全力」。「全力」であれば、「全力を注ぐ」「全力を尽くす」という言葉も成立する。

×悦にはいる→○悦にいる

事がうまく運び、満足して喜ぶことを「悦に入る」と表現する。これを「悦にはいる」と読むのは間違い。「悦にいる」と読むのが正しい。

×沿岸沿い→○海岸沿い

「沿岸」は海や川に沿った陸地の部分。「沿岸沿い」というと、「沿い」という意味の言葉が重なり、おかしな日本語になる。「海岸沿い」「海岸に沿う」、あるいは「沿岸にある」などと表現するのが正しい。

×古来から日本人は→○古来、日本人は

「古来から」も重複表現。「古来」だけで「古くから」という意味になるので、「古来から」では「から」が重複し、「古くからから」というワケのわからない言葉になってしまう。杜甫の有名な漢詩でも、「人生七十古来稀なり」と「古来」は単独で使われている。

3　大人としておさえておきたい言い回し

×汗の玉が滴る→○玉の汗が滴る

「玉の汗が滴る」とは、玉のような大粒の汗が次々と流れ出る様子のこと。「汗の玉」という言葉も意味が通らないわけではないが、慣用表現としては「玉の汗」が正しい。「汗」は一般に「寝汗」「冷や汗」「血の汗」のように「〜汗」「〜の汗」の形で使われることが多い。

×弱冠三十歳の青年→○弱冠二十歳の青年

「弱冠」は本来、二十歳の男性専用の言葉。中国五経の一つ『礼記』にある、「二十を弱と曰ひて冠す」から、男子の二十歳を指すようになった。だから、三十歳の男性には使えないし、二十歳であっても女性に対しては使えない。

×的を得た意見→○的を射た意見

的は「得る」ものではなく、矢で「射る」もの。矢をうまく目標に当てるところから、要点をうまくつかむという意味になった。「得る」の前に来るのは「当」

で、「当を得た意見」といえば、道理に適った意見のこと。

×公算が強い↓〇公算が大きい

「公算」は、あることの起きる確率のことであり、数字と関係の深い言葉だから、「強い」「弱い」では表現しない。「大きい」「小さい」、あるいは「高い」「低い」で形容する。

×小春日和の春の日↓〇小春日和の初冬の日

「小春日和」は「春」という文字を含んでいても、春の日のことではない。初冬の春に似た穏やかで暖かい日和をいう。「小春」は陰暦十月の別名でもある。

×兄譲りの才能↓〇親譲りの才能

兄が弟に譲れるのは、古着やおもちゃ程度。才能や才覚を譲ることはできない。才能を譲り受けることができるのは、自分を生んでくれた親からだけ。

×口を濁す↓〇言葉を濁す

話をあいまいにするとき、「口を濁す」という人がいるが、これは間違い。口を「濁す」ことはできないので、「言葉を濁す」というのが正しい。言葉を「濁す」ことによって、はっきり言わないという意味になる。

×耳ざわりのよい↓○耳ざわりな

「耳ざわり」は漢字では「耳障り」と書き、聞いて不快になること。それ自体でマイナスの意味をもつから、「よい」とは続けられない。近年は「耳触り」と書いて、聞いたときの印象という意味に使う人もいるが、それもおかしな日本語である。

×縁は奇なもの↓○縁は異なもの

「縁は異なもの味なもの」は、かつて結婚式のスピーチでよく使われた慣用句。男女の縁はどこでどう結ばれるかわからない不思議でおもしろいものという意味だ。「合縁奇縁」という言葉があるせいか、「縁は奇なもの」と言う人もいるが、これは間違い。

×喝采を叫ぶ↓○快哉《かいさい》を叫ぶ

「喝采」と「快哉」は音こそ似ているが、意味はまったく違う。「喝采」は声をあげてほめそやすこと。「喝采を上げる」「喝采を博する」などと用いる。一方、「快哉」は「快なる哉」の略で胸がすくことである。「快哉を叫ぶ」が正しい慣用句。

4 使ったら自慢できる言い回し

×下手な考え休むに似たり↓○下手の考え休むに似たり

ここでいう「下手」とは、碁や将棋の弱い人。弱い人の考えだから、「下手の考え」が正しく、「下手な考え」は間違い。碁や将棋の下手な人が長時間考えたところで、いい手が浮かぶわけもないことから、凡人が長々と考えるのを嘲る言葉。

×泣く子と地蔵には勝てぬ↓○泣く子と地頭には勝てぬ

「地蔵」と「地頭」では音は似ていても、地蔵は温厚、一方の地頭は横暴と正反対。地頭は、鎌倉時代に幕府に任命された地方職で、泣く子と同様、手に負えない存在だった。道理で争っても勝てない相手には、従うしかないという意味である。

×四十にして立つ↓○三十にして立つ

『論語・為政篇』には、「吾十有五而志于学、三十而立」とある。三十歳にもなれば、自己の見識を確立して、独立するべきであるということ。こうして三十にして立てば、四十歳は「不惑」となる。さらに五十歳は「知命」となる。

×昔日の感が深い↓○今昔の感が深い

「昔日」に続くのは「面影がない」。「昔日の面影がない」で往時の様子とはかけ離れていることを表す。「今昔の感」は、昔と今を比べて、あまりに違っていることに心を動かされること。

×胸先三寸に納める↓○胸三寸に納める

「胸先」は胸のみぞおちあたりで、「胸先三寸に迫る」という表現はある。けれども、「胸先三寸に納める」は誤用。正しくは「胸三寸に納める」。「胸三寸」とは心の中にある考えで、「胸三寸に納める」は心の中にしまい込むこと。

×いやがうえにも食べざるをえない↓○いやおうなしに食べざるをえない

「いやがうえに」は「嫌が上に」ではなく、ますますという意味の「弥」を使い、

「弥が上に」と書く。「そのうえに」という意味なので、否定的な表現には使えず、「いやがうえにも盛り上がる」というのが定番のフレーズ。一方、「いやおうなしに」は「否応無しに」と書き、否定的表現にも使える。

×出る釘は打たれる↓○出る杭は打たれる

「出る杭」は、目立つもののたとえ。釘の頭なら、出ていても、そうは目立たない。才能が抜きん出て目立つ人は、とかく人から憎まれるという意味。あるいは、さしでがましいことをした人が、非難を受けること。

×飛ぶ鳥跡を濁さず↓○立つ鳥跡を濁さず

立ち去る鳥が跡を見苦しくないようにする様から、退《ひ》き際が潔いことのたとえ。「飛ぶ鳥」では「立ち去る」ことにならないので、比喩が成立しない。「飛ぶ鳥」に続くのは「落とす」で、「飛ぶ鳥を落とす勢い」といえば、勢いが非常に盛んな様子のこと。

×願わくば早い解決を↓○願わくは早い解決を

願いや望みに対して、よく「願わくば」を使うが、厳密には間違い。正しくは

「願わくは」。「願わくは」は、「願う」のク語法「願わく」に係助詞「は」がついた語。「惜しむらくは」「恐らくは」と同種の表現で、「ば」と濁らない。

×あたりさわらずの返事↓○あたらずさわらずの返事

差し障りのないように気をつけて何かするとき、「あたらずさわらず」という。漢字で書けば「当たらず触らず」。他に「当たり障りのない」という言い方もあり、両者を混同すると「あたりさわらず」という、おかしな表現になる。

×古式豊かな↓○古式床しく

「古式床しく、馬上豊かに」という古い言葉が混同され、「古式豊かな」という誤用が生じた。「古式」は、昔から伝わる方法。「床しい」は昔がしのばれる様子で、昔をしのばせるような気品ある様子を「古式床しく」と表現する。

×論議を醸す↓○物議を醸す

「論議」は互いに意見を述べること。「論議を呼ぶ」「論議を尽くす」とは言うが、「論議を醸す」とは言わない。「物議」は世の人々の議論、「醸す」は状況をつくることで、「物議を醸す」は世間の論議を引き起こすこと。

Step 4

知らないと話にならない漢字

1 大人ならスラスラ読めて当然の漢字

安穏	造詣	市井	数多	一寸	静謐
瑣末	辛辣	誤謬	怯懦	為替	可憐

合戦	人伝	朴訥	祝儀	茫洋	法度
矮小	未遂	有無	憎悪	転た寝	挫折

安穏

〔あんのん〕静かに落ち着いていること。平穏無事。「安穏な日々」「安穏な生活」など。「あんおん」と読まないように。

造詣

〔ぞうけい〕学問や芸術、技術などに深い知識があり、優れた技量をもっていること。「造詣が深い」「造詣がある」など。「ぞうし」はよくある誤読。

市井

〔しせい〕人が集まり住むところ。巷(ちまた)。古代中国で井戸のあるところに人が集まり、市が立ったことから。

数多

〔あまた〕数量が多い様。程度のはなはだしい様。「数多の星」「数多のメール」「数多の群衆」など。

一寸

〔ちょっと〕物事の数量や程度、時間などがわずかである様。「ちと」が「ちっと」から「ちょっと」に変化した。

静謐

〔せいひつ〕静かで落ち着いている様。世の中が穏やかに治まっている様。「謐」は、ひっそりと静かな様。

瑣末

〔さまつ〕重要でないこと、小さなことである様。「瑣」は、取るに足りないという意味。

辛辣

〔しんらつ〕言動や批評が手厳しい様。「辣」は「辣油(ラーユ)」にも使われる文字。舌がヒリヒリするほど辛いという意味からの熟語。

誤謬

〔ごびゅう〕誤り、間違えること。「誤」も「謬」も、あやまるという意味。「誤謬を指摘する」などと使う。

怯懦

〔きょうだ〕臆病で気が弱く、いくじのない様。「怯」はおびえる、「懦」はいくじがないという意味。

為替

〔かわせ〕金銭上の決済を現金を動かすことなく、行う仕組み。外国為替は「外為(がいため)」と略される。

可憐

〔かれん〕姿や形が愛らしく、守ってやりたいという気持ちを起こさせる様をいう。もとは「憐れむ可き」という意味。

合戦

〔**かっせん**〕敵味方が出会って戦うこと。戦い。「長篠の合戦」「安売り合戦」「報復合戦」など。

人伝

〔**ひとづて**〕直接ではなく、他人を通して話を伝えたり、聞いたりすること。「伝（つて）」は仲立ちの意味。

朴訥

〔**ぼくとつ**〕かざりけがなく、口数が少ない様。質朴で訥弁（とつべん）である様。なお「訥弁」は、話し方がなめらかでない様。

祝儀

〔**しゅうぎ**〕婚礼など祝いの儀式。祝典。お祝いに贈る金銭などの贈り物。芸人、職人らに与える心づけ。

茫洋

〔**ぼうよう**〕広々としてかぎりのない様。広くて見当のつかない様。「茫」は、はてしなく広がる様。

法度

〔**はっと**〕禁じられていること。中世、近世では、法律や掟のこともこう呼んだ。「ほっと」と読まないように。

矮小

〔**わいしょう**〕丈が低く、形の小さい様。あるいは、こぢんまりしている様。「業績を矮小化して伝える」「矮小なとらえ方」など。

未遂

〔**みすい**〕やりかけたものの、成し遂げていない様。「殺人未遂」など、犯罪の実行に着手したが、遂げていないときにも。

有無

〔**うむ**〕あることとないこと。承諾することと断ること。「有無を言わせず」は、相手の承知・不承知にかかわりなくという意味。

憎悪

〔**ぞうお**〕憎むこと。「悪」には、不快に思う、憎むという意味がある。「敵を憎悪する」「憎悪の連鎖」など。

転た寝

〔**うたたね**〕眠るつもりがないのに、うとうとと眠ること。「冷房をつけたまま転た寝したら風邪をひいた」。

挫折

〔**ざせつ**〕事業や計画などが途中でだめになること。「就職活動で挫折」「挫折を克服する」など。

払拭	
敷設	
侮蔑	
辟易	
建立	
客死	
雪辱	
戦慄	
呻吟	
直訴	
遂行	
采配	

進捗	出納	伝播	弾劾	貼付	教唆
拿捕	斡旋	歪曲	諜報	猶予	精進

払拭

〔ふっしょく〕汚れなどをぬぐい去ること。「疑惑を払拭する」「払拭できない懸念」など。「ふっしき」と読まないように。

敷設

〔ふせつ〕装置・設備などを設置すること。「敷」はしきならべるという意味。「鉄道を敷設する」「ガス管を敷設する」など。

侮蔑

〔ぶべつ〕相手を自分より劣ったものと見なし、さげすむこと。「人を侮蔑した言辞」「侮蔑的な態度」など。

辟易

〔へきえき〕閉口すること。うんざりすること。相手の勢いに押され、しりごみすること。「辟」は避ける、「易」は変えるという意味。

建立

〔こんりゅう〕寺院や堂塔などを建てること。「法隆寺は聖徳太子によって建立された」などと用いる。

客死

〔かくし〕旅先で死ぬこと。異国で死ぬこと。「刺客」も正しくは「しきゃく」ではなく、「しかく」と読む。

雪辱

〔せつじょく〕恥をそそぐこと。とくに勝負で、以前に負けた恥を次回の勝利でそそぐこと。「雪」には、洗い清めるという意味がある。

戦慄

〔せんりつ〕恐ろしさのあまり、ふるえおののくこと。「戦く」で「おののく」と読む。「神をも恐れぬ行為に、皆は戦慄した」などという。

呻吟

〔しんぎん〕苦しんでうめくこと。「呻」はうめく、「吟」もうめく、嘆くという意味。「貧困に呻吟する」。

直訴

〔じきそ〕一定の手続きを経ないで、天皇・将軍・君主などに直接訴えること。今は「社長に直訴する」などと使う。

遂行

〔すいこう〕任務や仕事をやり遂げること。「職務を遂行する」「任務遂行の妨げとなる」など。「ついこう」ではない。

采配

〔さいはい〕昔、戦場で大将が兵卒を指揮するために振った道具。「采配を振るう」といえば、指図するという意味。

進捗

〔しんちょく〕物事がはかどること。「進捗状況を報告」「工事が進捗する」などと使う。

出納

〔すいとう〕金品や物品を出し入れすること。「出納帳をつける」「過去の出納を確認する」などという。

伝播

〔でんぱ〕伝わり広まること。「キリスト教が伝播する」のように、物事が広まっていくこと。

弾劾

〔だんがい〕犯罪や不正をはっきりさせて、責任をとるよう求めること。「大統領を弾劾する」などという。

貼付

〔ちょうふ〕「てんぷ」は慣用読みで、本来は「ちょうふ」と読む。貼りつけること。「はがきにシールを貼付する」などという。

教唆

〔きょうさ〕けしかけること。他人をそそのかして、悪事をさせること。「殺人を教唆する」などという。

拿捕

〔だほ〕捕らえること。とくに軍艦が、他国の船舶などをその支配下におくこと。「日本の漁船が拿捕される」などという。

斡旋

〔あっせん〕両者の間に入って、うまくとりもつこと。法律用語としては、労働関係調整法による労働争議の解決方法の一つ。

歪曲

〔わいきょく〕物事を故意にゆがめ曲げること。そこから、事実をゆがめて伝える意味に使う。「歪曲報道」「事実を歪曲」など。

諜報

〔ちょうほう〕敵の様子をひそかに探り、味方に知らせること。「諜報員（スパイのこと）」「諜報網が破られた」など。

猶予

〔ゆうよ〕実行の期日を延ばすこと。ぐずぐずして物事を決めないこと。「一刻の猶予もない」「支払いの猶予期間」など。

精進

〔しょうじん〕一つのことに精神を集中して励むこと。あるいは「精進料理」というように、肉食を断つこと。

3 日本人が知っておきたい「暮らし」の漢字

喧伝	
支度	
言質	
版図	
凡例	
垂涎	
遡及	
脆弱	
工面	
幸先	
極寒	
職人気質	

追従笑い	読経	平生	凋落	御点前	憤怒
福音	強面	二重瞼	月極	相殺	更迭

喧伝

〔けんでん〕世間に言いふらすこと。いいはやすこと。「広く喧伝された逸話」「世に広く喧伝された出来事」など。「宣伝」と見間違えないように。

支度

〔したく〕準備や用意をすること。必要なものをそろえること。「旅支度」などと、外出のための服装を整えることにも使う。

言質

〔げんち〕「言質を取る」などと使い、後で証拠となる約束の言葉をさす。「不用意に言質を与える」など。「げんしつ」と誤読しないよう注意。

版図

〔はんと〕一国が治める領土のこと。一国の領域。また、勢力範囲。「版図を広げる」などと使う。「版」が戸籍、「図」が地図であることから。

凡例

〔はんれい〕書物などのはじめに記す、校正や表記などの約束事のこと。巻頭で使用法などを述べたもの。「ぼんれい」と誤読しないよう注意。

垂涎

〔すいぜん〕よだれをたらすこと。おもに、あるものをたいそう欲しがるときに使われる。「垂涎の的」などという。「すいえん」ではない。

遡及

〔そきゅう〕過去のある時点までさかのぼって、効力や影響が及ぶこと。法律をさかのぼって適用するときによく使われる。「さっきゅう」とも。

脆弱

〔ぜいじゃく〕もろくて弱いこと。また、その様子。「脆弱な地盤」などという。

工面

〔くめん〕いろいろやりくりして、品物や金銭を揃えること。とくに「元手を工面する」などと、何とか工夫して金銭を用意するときに使う。

幸先

〔さいさき〕何か事を始める前に、よい前兆があること。または、何かを感じさせる出来事。吉兆。「幸先がよい」などと使う。

極寒

〔ごっかん〕極めて寒いこと。または、厳しい寒さの冬の時期をさす。反対に夏の暑いさかりのことを「極暑」という。

職人気質

〔しょくにんかたぎ〕職人に特有な、一徹に自分のやり方をとおす気質のこと。妥協せずに仕事をするような傾向をさす。

追従笑い
〔ついしょうわらい〕相手の機嫌をとるように笑うこと。人にこびへつらって笑うこと。また、そのような笑い方。

読経
〔どきょう〕声をあげて、経文を読むこと。「どっきょう」ともいう。

平生
〔へいぜい〕平常、つねひごろ。「平生の心がけ」などと用いる。

凋落
〔ちょうらく〕落ちぶれること。容姿が衰えること。また「凋落の秋」などと、草木が枯れたり、花が落ちることにも用いる。

御点前
〔おてまえ〕茶道で、抹茶をたてる作法のこと。「御手前」とも書く。

憤怒
〔ふんぬ〕ひどく怒ること。「憤怒の念をおぼえる」「非情な行為に対して憤怒する」などと使う。「ふんど」ともいう。

福音
〔ふくいん〕キリスト教が説く人類救済の教えのこと。もしくは「福音を待つ」などと、喜ばしい知らせの意味で使うこともある。

強面
〔こわもて〕恐ろしい顔つき。または相手に対して、強硬な態度でのぞむこと。「強面で交渉する」などという。「こわおもて」が音変化したもの。

二重瞼
〔ふたえまぶた〕上瞼にひだがあり、二重になっているもの。「にじゅうまぶた」と読むのは間違い。

月極
〔つきぎめ〕一ヶ月いくらと決めた契約。「月極の料金」「月極で駐車場を借りる」などと使う。「げっきょく」と誤読しないよう注意。

相殺
〔そうさい〕損得や貸し借りなど、互いに差し引いて帳消しにすること。または、利点や長所などが、差し引かれてなくなること。「そうさつ」と読むのは誤り。

更迭
〔こうてつ〕ある地位についている人を、別の人と入れ替えること。役職についている人をあらためること。「大臣の更迭」などと使う。

4 普通に読むと間違える漢字

反故	灰汁	風体	必定	口伝	壊死
悪食	言霊	剽軽	薬玉	生薬	流布

呵責	因業	参内	猪首	投網	吹聴

言伝	手綱	遊説	柔和	風情	刃傷沙汰

反故

〔ほご〕書き損じた紙のこと。不要になった紙。ほご紙。または、約束や決まりなどを無効にすること。「条約を反故にする」などと使う。

灰汁

〔あく〕食品を調理すると浮き出る、にがみやえぐみなどの不純物。もしくは、ある人物の癖のある性質をさす。「灰汁の強い人物」など。

風体

〔ふうてい〕人の様子や職業をうかがわせる身なりのこと。「勤め人らしい風体」「異様な風体の男」などという。「ふうたい」とも読む。

必定

〔ひつじょう〕必ずそうなること。そうなることが決まっていて、避けられないこと。「彼が失敗するのは必定だ」などという。

口伝

〔くでん〕人から人へ、直接話して伝えること。口づて。また、師匠が学問や技芸の奥義を弟子に教えること。秘伝書。

壊死

〔えし〕生体の一部が死滅すること。また、その状態をさす。おもに、やけどを負った部分など、血液が供給されなくなった部分に起こる。

悪食

〔あくじき〕普通、人が食べないものを食べること。いかものぐい。もしくは、粗末な食事。仏教で禁止されている、獣肉を食べることもいう。

言霊

〔ことだま〕古代日本で、言葉に宿っていると信じられていた呪力のこと。発した言葉には、物事を動かす力があると考えられていたことから。

剽軽

〔ひょうきん〕言動が気軽で、滑稽な様子。また、そのような人。「剽軽者」。

薬玉

〔くすだま〕端午の節句に長寿や厄払いを願って飾る、種々の香料を玉にした飾り。現在は、割れると中から紙吹雪などが飛び出すものを指すことが多い。

生薬

〔しょうやく〕植物や鉱物などを簡単に加工して、調製したもの。医薬品や医薬原料となる。「きぐすり」ともいう。

流布

〔るふ〕世間に広まること。または、広めること。「民間に流布した迷信」など。

呵責
〔かしゃく〕厳しくとがめること。責めること。おもに「良心の呵責に苦しむ」「良心の呵責に堪えない」などと使う。

因業
〔いんごう〕物わかりが悪く、頑固な様子。「因業な方法で、借金を取り立てる」「因業親父」などという。また、宿命的に不幸なこともさす。

参内
〔さんだい〕宮中に参上すること。「内」は、御所である内裏を意味する。

猪首
〔いくび〕人の首が猪のように太く短いこと。または、そのような人。〝いのくび〟ではない。

投網
〔とあみ〕水面に投げて、魚を捕る網のこと。川などの浅い場所で使われる。「なげあみ」とも呼ばれ、「投網を打つ」などと用いる。

吹聴
〔ふいちょう〕多くの人に言いふらすこと。「近所に吹聴する」などと使う。

言伝
〔ことづて〕ほかの人に伝えたい言葉をとりついでもらうこと。ことづけ。もしくは、昔から口づてに伝えられてきた世間話のこと。伝説。

手綱
〔たづな〕馬を操る綱のこと。「家計の手綱を握る」などと、人が勝手な行動をとらないように、監視する意味でも使う。

遊説
〔ゆうぜい〕自分の意見や主義を説いてまわること。とくに政治家が自分の意見を演説してまわることをいう。「地方を遊説する」など。

柔和
〔にゅうわ〕性格や態度がやさしく、おだやかなこと。ものやわらかであること。「柔和な表情」「柔和なまなざし」などと使う。

風情
〔ふぜい〕味わいのある趣きのこと。情緒。風流。または、人の様子や気配のこともいう。「あわれな風情」「寂しげな風情」など。

刃傷沙汰
〔にんじょうざた〕刃物を持って人と争うこと。または、傷つけること。おもに「刃傷沙汰になる」「刃傷沙汰に及ぶ」などという。

4 漢字

読めて安心、書けたら自慢できる漢字 5

旨み	晩生	役務	所作	歪	殺生
生業	師走	晦渋	合祀	日歩	火影

落魄	海原	胡乱	等閑	木霊	時化
不束	音曲	緑青	刺青	呂律	鐚一文

旨み

〔うまみ〕食べ物のうまい味。技芸などの巧みさも意味する。ほかに「旨みのある商売」といえば、「利益が上がる商売」という意味。

晩生

〔おくて〕普通より遅く成熟する稲の品種。そこから、肉体的、精神的成熟の遅い人のこと。「晩稲」「奥手」とも書く。

役務

〔えきむ〕労務やサービスのこと。この「役」は、分担して受け持つ仕事、任務の意味。「やくむ」と読まないように。

所作

〔しょさ〕行いやしぐさ、その場に応じた身のこなし。「しょさく」などと読まないように。

歪

〔いびつ〕「飯櫃」とも書く。ものの形がゆがんでいること、正常でない様。「飯櫃」が楕円形にゆがんでいることに由来する。

殺生

〔せっしょう〕生き物を殺す事。仏教の十悪の一つとされる。あるいは「殺生な目にあわせる」というように、むごい様を意味する。

生業

〔なりわい／せいぎょう〕暮らしを立てるためにする職業。「今は農業を生業としている」などと用いる。

師走

〔しわす〕陰暦一二月の別名。一二月は「限月（かぎりのつき）」「春待月（はるまちづき）」などとも呼ばれた。「しはす」とも記す。

晦渋

〔かいじゅう〕言葉や文章などがむずかしく、意味がわかりづらい様。「晦」はよくわからない、「渋」はなめらかに進まないこと。

合祀

〔ごうし〕二柱以上の神を一つの神社にまつること。靖国神社のA級戦犯合祀問題で、新聞紙上によく登場する。

日歩

〔ひぶ〕利息計算する単位を一日として定めた利率のこと。この「歩」は「歩合（ぶあい）」のことなので、「ひぶ」と濁って読む。

火影

〔ほかげ〕火の光、あるいは灯火に照らされてできる影。灯火の光で見える姿という意味も。「遠くに火影を見た」などという。

落魄
〔**らくはく**〕衰えてみじめになる様。落ちぶれた様。「魄」は、落ちぶれるの意。「らくばく」とも読む。

海原
〔**うなばら**〕広々とした海。上代は「うなはら」と読んだが、「うみはら」「うみばら」とは読まない。

胡乱
〔**うろん**〕正体が怪しく疑わしい様。真実かどうか疑わしいこと。「胡」には、でたらめという意味がある。「こらん」などと読まないように。

等閑
〔**なおざり**〕真剣でないこと。いいかげんにしておくこと。なお、似た言葉の「おざなり」には、その場しのぎというニュアンスが含まれる。

木霊
〔**こだま**〕宮崎駿氏のアニメ『もののけ姫』に登場したような樹木に宿る精霊。あるいは、声や音が山や谷などに反響すること。「木魂」とも書く。

時化
〔**しけ**〕風雨によって海が荒れること。海が荒れて不漁になること。商売や興行が思わしくないという意味もある。

不束
〔**ふつつか**〕気のきかない様。風情がなく下品なこと。「不束者」は行き届かない者のこと。「ふたば」などと読まないように。

音曲
〔**おんぎょく**〕邦楽で、楽器演奏の曲や人が歌う曲の総称。とくに、三味線などに合わせて歌う俗謡をいう。「ぎょく」と濁って読む。

緑青
〔**ろくしょう**〕銅の表面にできる緑色のさび。または天然鉱物を粉末にした緑色の顔料。「りょくしょう」と読まないように。

刺青
〔**いれずみ**〕肌に針などで傷をつけ、色素をすり込み、文字や絵を描いたもの。「入れ墨」「文身」とも書く。谷崎潤一郎の小説の題名は「しせい」。

呂律
〔**ろれつ**〕ものを言うときの調子。「泥酔して呂律が回らない」「呂律が怪しい」などと用いる。

鐚一文
〔**びたいちもん**〕ほんのわずかな金銭のこと。「鐚銭（びたせん）」は、粗悪な銭貨をいう。

6 この「当て字」を読めますか?

陽炎	鳩尾	紙魚	牛車	七五三縄	白湯
生憎	月代	長閑	山車	濁酒	五月雨

紙縒

早生

小豆

老舗

曲尺

浴衣

花魁

流石

玄人

竹刀

美人局

狼煙

陽炎

〔かげろう〕春の晴れた日、野原や砂浜に見えるゆらめき。はかないもののたとえ。または、明け方、東方に見える空の明るみのこと。

鳩尾

〔みぞおち〕胸と腹の間にある、中央のくぼんだ柔らかいところ。「みずおち」「きゅうび」ともいう。人体の急所の一つ。

紙魚

〔しみ〕シミ科の昆虫の総称。おもに人家に住み、衣料や古い本などを食べる。

牛車

〔ぎっしゃ〕牛にひかせた屋形車のこと。おもに平安時代、貴族階級を中心に使われた。「ぎゅうしゃ」「うしぐるま」ともいう。

七五三縄

〔しめなわ〕神聖な場所の境界を示し、出入りを禁止するために張る縄のこと。また、新年に門口に張る縄のこと。「注連縄」とも書く。

白湯

〔さゆ〕沸かしただけで、何も入っていない湯のこと。飲む湯。

生憎

〔あいにく〕都合の悪い状態にある様子。自分の場合にも、相手の場合にも用いる。「生憎な空模様」「彼女をたずねたが、生憎留守だった」などという。

月代

〔さかやき〕頭の中央の髪をそり落とした男性の髪型のこと。また、その部分。

長閑

〔のどか〕静かでのんびりとして、穏やかな様子。また、「長閑な春の日」などと、天気がよく穏やかな様子にも使われる。

山車

〔だし〕神社の祭礼のときに引く、飾り物をつけた屋台のこと。花や人形などで飾りつけることが多い。関西以西では「だんじり」「やま」ともいう。

濁酒

〔どぶろく〕かすをこし取らない、白く濁った酒のこと。にごり酒。

五月雨

〔さみだれ〕陰暦五月ごろに降る長雨のこと。梅雨。もしくは、いつまでもだらだらと続くことのたとえ。「五月雨式」などと使う。

紙縒	早生	小豆	老舗	曲尺	浴衣
〔こより〕細長く切った和紙をねじって、糸のように細くひも状にしたもの。細工物の材料にしたり、紙をとじるときに用いる。	〔そうせい／わせ〕植物などが、他の品種より早く生えること。「早生の品種」などという。また、普通より早く産まれることもいう。	〔あずき〕あんや赤飯などの材料になるマメ科の一年草。暗赤色のものが多い。「小豆島」は「しょうどしま」。	〔しにせ〕由緒正しく、伝統のある店。長年同じ商売をしている、信用のある店。家業を守り継ぐという意味の「仕似せる」から。	〔かねじゃく〕L字型で金属製の物差し。おもに大工や建具職人が用いる。また、「尺」と同義の長さの単位。一尺は約三〇・三センチ。	〔ゆかた〕夏や入浴後に着る、木綿で作ったひとえの着物のこと。普段着として着る着物。「ゆかたびら」を略したもの。
花魁	流石	玄人	竹刀	美人局	狼煙
〔おいらん〕位の高い女郎、太夫のこと。江戸吉原の遊郭で、見習いの少女が姉女郎のことを「おいらの姉さん」と呼んだことから。	〔さすが〕期待にたがわず、すぐれていると感心する様子。一方で「そうはいうものの」という意味でも使われる。「さすがの教授も返答に困った」など。	〔くろうと〕一つの物事に詳しい人、熟達した人。専門家。また、ホステスや芸者などの水商売を職業とする女性をさすこともある。	〔しない〕剣道で使う、竹でできた刀のこと。四つ割りの竹をあわせ、先と柄を皮で包み、つばをはめて作る。	〔つつもたせ〕男が妻や愛人と共謀して、女にほかの男を誘惑させ、それをいいがかりとして、金品などをゆすること。	〔のろし〕警報や合図を知らせるために、火をたいてあげた煙のこと。「新時代の到来を告げる狼煙」などと、現在でも合図や信号の意味で使われることがある。

7 読めますか？——形容する言葉

強か	清々しい	麗らか	疎ら	仄か	奇しくも
嫋やか	頻りに	懇ろ	淑やか	芳しい	詳らか

儚い	円らな	面映ゆい	瑞々しい	早急に	如実に
焦れったい	生温い	血塗れ	一端の	斜向かい	虚ろ

強か

〔したたか〕世慣れていて、手ごわい様子。しぶといこと。または、程度のはなはだしい様子。「強かに酔う」「強かな相手」などと使う。

清々しい

〔すがすがしい〕さわやかで心地よいこと。「清々しい気分」「清々しい表情」など。また、思い切りがよく、ためらいがない様子もいう。

麗らか

〔うららか〕太陽が明るくのどかに照っているさま。晴れ晴れと、のどかなこと。「麗らかな日和」「麗らかな気分」など。

疎ら

〔まばら〕物が少なく、すき間がある様子。ぽつぽつと散在していること。

仄か

〔ほのか〕光や香りなどが、ほんのりとかすかに感じられるさま。また、明瞭でない様子。「仄かに記憶している」「仄かに匂う」などという。

奇しくも

〔くしくも〕珍しいことにも。不思議にも。偶然にも。「奇しくも同時に発見された」「奇しくも誕生日だった」などと用いる。「きしくも」ではない。

嫋やか

〔たおやか〕姿や動作が、しなやかで優美なさま。姿かたちが、ほっそりしていてしなやかな様子。「嫋やかな少女」「嫋やかな身のこなし」など。

頻りに

〔しきりに〕短時間に同じことがくり返し起こること。ひっきりなしに。また、「むやみに」「無性に」という意味でも使われる。「頻りに恐縮している」など。

懇ろ

〔ねんごろ〕心をこめて丁寧にすること。親身である様子。また「懇ろな間柄」などと、男女や友人が親密になることにも使う。

淑やか

〔しとやか〕動作や物言いが、落ち着いていて上品なさま。もの静かで、つつしみ深い様子。「淑やかに振る舞う」などという。

芳しい

〔かぐわしい〕上品でよい香りがする様子。「芳しい梅の香り」などという。「かんばしい」とも読む。

詳らか

〔つまびらか〕細かい部分まではっきりしているさま。くわしい様子。「詳らかな事情」「ことの真相を詳らかにする」などという。

1304教-B

ミーポンとキヨチの

青春 読書のーと

第69回「ホトケさまありがとう」の巻

ツピー ツピー
いいかいミーポン 耳をすましてごらん
うん!
ホーホケキョ!
自然の音はすべて仏の声なんだよ
!
ふわふわ
えっ何! 聞こえた!?
こっちこっち!
おいしい ホットケーキ
何かちがうような… でもおいしい。
ウフ♡

儚い

〔はかない〕むなしく、あっけないこと。また、不確かであてにならないときにも使う。「儚い恋」「儚い希望を抱く」など。

円らな

〔つぶらな〕まるくて、かわいらしいさま。「円らな瞳」などと使う。

面映ゆい

〔おもはゆい〕決まりが悪いこと。相手と顔を合わせることが照れくさく恥ずかしいこと。「各方面から絶賛されて面映ゆかった」などという。

瑞々しい

〔みずみずしい〕若々しく輝いていること。新鮮で生気があること。「瑞々しい肌」「瑞々しい感覚に満ちた文章」などという。

早急に

〔さっきゅうに〕非常に急ぐこと。至急。また、その様子。「早急な措置」「早急に対策を講じる」などという。「そうきゅう」ともいう。

如実に

〔にょじつに〕実際のとおりである様子。「真相を如実に物語る」などという。

焦れったい

〔じれったい〕物事が思い通りに進まず、はがゆい思いをすること。もどかしく、いらいらして気持ちが落ち着かない。

生温い

〔なまぬるい〕十分には温かくなっていないが、冷たくもない状態のこと。また、手ぬるいという意味でも使う。「生温い処置」など。

血塗れ

〔ちまみれ〕全面に血がつくこと。血だらけの状態。また、その様子。

一端の

〔いっぱしの〕資格や能力などが一人前であること。「ようやく一端の職人になった」「一端の口を利く」などという。

斜向かい

〔はすむかい〕ななめ前、ななめ向こう側のこと。「斜向いの家」など。

虚ろ

〔うつろ〕中に何もないこと。からっぽ。また、意識がぼんやりとして気力がない様子。虚脱状態で、生気がないさま。「虚ろな瞳」など。

4 漢字

8 読めますか？——動作をあらわす言葉

玩ぶ	
気圧される	
繙く	
呻く	
喘ぐ	
嘯る	
殺める	
適う	
叛く	
疼く	
荒む	
貶す	

萎れる	慮る	浸かる	質す	彩る	委ねる
集う	唸る	強請る	育む	仕える	僻む

玩ぶ
〔もてあそぶ〕手にとり、あれこれといじって遊ぶ。「髪を玩ぶ」などという。

気圧される
〔けおされる〕相手の勢いに押されて、気分的に圧倒される。「相手のものすごいけんまくに気圧される」などと使う。

繙く
〔ひもとく〕本を開き、読む。昔の書物が、ひもでくくられた巻物だったことから。また、衣服の紐をとくという意味でも使われる。

呻く
〔うめく〕苦しみや悲しみから、思わず低いうなり声を出す。獣などがうなる。もしくは、苦労して詩歌を作ることもいう。

喘ぐ
〔あえぐ〕苦しそうに息をすること。息を切らす。また、生活がうまくいかず苦しみ悩む。「不況に喘ぐ」などという。

囀る
〔さえずる〕小鳥がひたすら鳴く。また「よく囀る女の子」などと、集まってぺちゃくちゃと話すことを見下していう。

殺める
〔あやめる〕人に危害を加えて、殺すこと。「誤って人を殺める」などという。

適う
〔かなう〕条件や基準などにうまく合う。ぴたりと適合する。願いが思い通りにかなう。「理屈に適っている」「理想に適った女性」などという。

叛く
〔そむく〕目上の人の意向や命令にしたがわない。約束や期待に反する。「恩師の教えに叛く」「約束に叛く」などと使う。

疼く
〔うずく〕ずきずきと傷口などが痛む。また、悲しみや後悔から、心が痛むことをいう。「昔を思い出すと心が疼く」「彼の身を案じて胸が疼く」など。

荒む
〔すさむ〕気持ちにゆとりがなくなり、とげとげしくなる。もしくは、技芸などが乱れて質が低下すること。「芸が荒む」など。

貶す
〔けなす〕わざわざ悪い点を取り上げて、非難する。こき下ろす。くさす。「彼はいつも他人の作品を貶す」などという。

萎れる

〔しおれる〕草花などが、水分が不足して枯れそうになる。また、人が元気を失い、しょんぼりする意味でも使う。「試験に落ちて萎れている」など。

慮る

〔おもんぱかる〕いろいろな点に気を遣う。思いをめぐらす。周囲の状況をよく考える。「おもひはかる」が転じたもの。

浸かる

〔つかる〕ある状態にはいりきる。「安楽な生活に浸かる」などと使う。「浸る」なら「ひたる」と読む。

質す

〔ただす〕不明な点などを、人にたずねて明らかにする。質問する。「疑問点を質す」「真意を質す」などと用いる。

彩る

〔いろどる〕着色する。さまざまな色で飾る。また、趣きを添えるという意味でも使う。「生活を彩る」「紅葉が野山を彩る」など。

委ねる

〔ゆだねる〕人に処置などの一切をまかせる。もしくは「教育に身を委ねる」「政治に身を委ねる」などと、身をささげるという意味でも使う。

集う

〔つどう〕人が同じ目的をもって、ある場所に集まる。寄り集まる。集合する。「各代表が一堂に集う」などという。

唸る

〔うなる〕怒りや苦しみから、低い声を発する。または「客を唸らせる名演技」などと、感動から思わず声を発するときにも使う。

強請る

〔ねだる／ゆする〕相手の好意に甘えて、せがむ。また、相手に金品を無理に要求する。

育む

〔はぐくむ〕子供を養い育てる。また、大切なものを守り大きくする。「愛を育む」「大自然に育まれる」などと使う。

仕える

〔つかえる〕目上の人の側にいて、その用をする。また、公的な機関に勤める。

僻む

〔ひがむ〕物事をすなおに見ないで、ひねくれて考える。自分が不当に扱われていると思う。偏屈な考え方をとる。「のけ者にされたと思って僻む」など。

9 教養が試される漢字①

曲者	幕間	固唾	餞	蝶番	健気
塩梅	件の	杜撰	目深	出汁	定宿

湯治

晦日

年増

夜の帳

場末

続柄

親許

破綻

思惑

下戸

発端

昔の誼

曲者

〔くせもの〕賊や敵などの怪しい人。おもに、ひとくせあり、一筋縄ではいかない人を指す。また「この景気が曲者だ」などと、油断ならないものに使うこともある。

幕間

〔まくあい〕芝居で一つの場面が終わり、次の場面が始まるまでの間。舞台の幕が下りている間。「まくま」と誤読しないよう注意。

固唾

〔かたず〕緊張して息をこらすとき口中に出るつば。「固唾を呑む」は、事の成り行きを心配して、ひどく緊張するという意味。

餞

〔はなむけ〕旅立つ人を祝し、言葉や金品などを贈ること。餞別。昔、馬の鼻を目的地に向けて、旅立つ人の安全を祈ったことから。

蝶番

〔ちょうつがい〕開き戸などが、自由に開け閉めできるように取り付ける金具。もしくは「腰の蝶番を痛める」などと、体の関節をさす場合もある。

健気

〔けなげ〕心がけがしっかりしている様子。とくに、幼いものや力の弱いものが、かいがいしく振る舞う様子についていう。「よく働く健気な少年」など。

塩梅

〔あんばい〕食べ物の味の加減。また、物事の具合や調子。「体の塩梅がいい」「ずっと天気の塩梅もいい」など、天気や健康について使うことが多い。

件の

〔くだんの〕前に述べたこと。前記の。「件の用件で話したい」などという。もしくは、「例の」「いつもの」という意味でも用いる。

杜撰

〔ずさん〕誤りが多いこと。いい加減で正確でないこと。また、手落ちが多いこと。「杜撰な工事」などという。

目深

〔まぶか〕帽子などのかぶりものを、目が隠れるくらい深くかぶっているさま。「めぶか」ではない。

出汁

〔だし〕かつお節や昆布などを煮だして作る、うまみのある汁のこと。出し汁の略。また、出し汁をとるために使う、かつお節、昆布、煮干しなどをさすこともある。

定宿

〔じょうやど〕いつも決まって泊まる宿。泊まりつけの宿のこと。「京都では定宿にしている旅館」など。

湯治

〔とうじ〕温泉や薬草が入った湯に入り、病気を治すこと。「術後の経過が良好なので、温泉場で湯治する」などという。また、温泉場のことを「湯治場」ともいう。

晦日

〔みそか〕昔は「三十日」とも書き、月の三十日目の日のこと。そこから今では、毎月の最終日、月末を指す。

年増

〔としま〕娘盛りをかなり過ぎて、年をとった女性。年齢は時代によって前後する。現在は、三〇代半ばから四〇歳前後までをさすことが多い。

夜の帳

〔よるのとばり〕夜になって暗くなる様子。闇が広がることをたとえていう。「夜の帳が下りる」など。「帳」は室内を仕切る垂布のこと。

場末

〔ばすえ〕町の中心から外れた、うらぶれた所。都心の繁華街から外れたところ。町外れ。「場末の酒場」などという。

続柄

〔つづきがら〕血縁もしくは姻族の関係。親族としての間柄。「戸籍筆頭者との続柄」などと使う。「ぞくがら」ともいうが、「つづきがら」と読むのが正式。

親許

〔おやもと〕親が住んでいる場所。「親許を離れて一人暮らしをする」「親許に帰る」などという。「親元」とも書く。

破綻

〔はたん〕着物などが破れて、ほころびること。また、まとまっているものが維持できなくなり、うまくいかなくなること。「経営に破綻を来す」などと使う。

思惑

〔おもわく〕考えや思うところ。見込み。また、評判や人々の考え。「世間の思惑を気にする」「思惑が外れる」などという。

下戸

〔げこ〕酒が飲めない人。酒が嫌いな人。反対に酒好きのことを「上戸」という。

発端

〔ほったん〕物事のいとぐち。はじまり。「事件の発端」などという。

昔の誼

〔むかしのよしみ〕昔からの親しい間柄。縁故やゆかり。「昔の誼を通じる」「昔の誼で協力する」などという。

10 教養が試される漢字②

瀑布	
業腹	
慇懃	
知己	
改竄	
忖度する	
忸怩	
日本武尊	
御大	
招聘	
嗚咽	
八百万の神	

騒擾	荼毘	容喙する	磊落	指図	捏造
天照大神	訃報	謂れ	冒瀆	塵埃	三十一文字

瀑布

〔ばくふ〕滝のこと。「ナイアガラ瀑布」などと使う。

業腹

〔ごうはら〕腹が立って仕方のないこと。非常にしゃくにさわること。また、そのさま。「業腹な話」「業腹な仕打ちを受ける」などという。

慇懃

〔いんぎん〕礼儀正しく丁寧なこと。真心のこもっているさま。「慇懃な挨拶」など。なお「慇懃無礼」は、表向きは丁寧だが、実際は無礼であることをいう。

知己

〔ちき〕自分のことをよくわかってくれる親しい人。「この世に二人といない知己」など。または「知己を頼って上京する」など、単に知り合いをさすこともある。

改竄

〔かいざん〕書類の文章や数字を、ひそかに書き換えてしまうこと。「帳簿の日付を改竄する」などと、おもに悪用する場合に使う。

忖度する

〔そんたくする〕他人の心の中を、おしはかること。推察。「相手の心中を忖度する」「彼の気持ちを忖度しかねる」などという。「すんたく」ではない。

忸怩

〔じくじ〕自分の行いを反省して、恥ずかしく思うさま。「内心、忸怩たる思い」「忸怩として非礼をわびる」などと使う。

日本武尊

〔やまとたけるのみこと〕伝説上の古代の英雄。景行天皇の皇子とされる。

御大

〔おんたい〕ある集団のかしらに立つ人、一家や店の主人などを親しみをこめて呼ぶ言葉。「御大のお出まし」などと用いる。

招聘

〔しょうへい〕礼儀を尽くして、人を招くこと。おもに「講師として専門家を招聘する」「招聘に応じる」などと用いる。

嗚咽

〔おえつ〕声をつまらせ、むせび泣くこと。「嗚咽する声がもれる」などという。

八百万の神

〔やおよろずのかみ〕あらゆる神々のこと。神道における神の概念。「八百万」とは、非常に数が多いという意味。

騒擾
〔そうじょう〕集団で事件などの騒ぎを起こして、社会の秩序を乱すこと。騒乱。「過激派の騒擾事件」などと用いる。

荼毘
〔だび〕火葬のこと。死者を火葬にすることを「荼毘に付す」という。「荼」が「茶」ではないことに注意。

容喙する
〔ようかいする〕横から口をはさむこと。「容」は「入れる」、「喙」は「くちばし」という意味。「これは他人が容喙すべき問題ではない」などという。

磊落
〔らいらく〕心が広く、細かなことにこだわらないこと。度量が広いこと。また、そのさま。「磊落な笑い」「豪放磊落な性格」などと使う。

指図
〔さしず〕他の人にいいつけてさせること。「指示する」と同じ意味。

捏造
〔ねつぞう〕実際にはないことを、さも事実であるかのようにでっちあげること。「記事を捏造する」などという。「でつぞう」の慣用読み。

天照大神
〔あまてらすおおみかみ〕日本神話の神。日の神で、天皇家の先祖神でもある。伊勢神宮の内宮にまつられている。

訃報
〔ふほう〕人が死亡したという知らせ。「悲報」「訃音」と同じ意味。「訃報に接する」など。

謂れ
〔いわれ〕由来や由緒。「謂れのある土地」などという。また、そういわれる理由や物事が起こった訳をさすこともある。「疑われる謂れはない」など。

冒瀆
〔ぼうとく〕清らかなものや神聖なものをけがすこと。清浄なものをおかすこと。「神を冒瀆する」などと使う。

塵埃
〔じんあい〕ちりやほこり。また、比喩的にけがれた俗世間。「塵埃にまみれる」「塵埃を避けて暮らす」などと使う。

三十一文字
〔みそひともじ〕短歌の別名。和歌のこと。一首が仮名で三十一文字あることから。そのまま「さんじゅういちもじ」と読むこともある。

4 漢字

11 知っていますか？「三文字」の漢字①

流鏑馬	御神酒	他人事	極彩色	遣り水	一家言
生蕎麦	好事家	黙示録	生兵法	御利益	土気色

刹那的	手向け	口の端	物の怪	赤裸々	長広舌
御用達	粒選り	仲違い	好々爺	疫病神	乳離れ

流鏑馬

〔やぶさめ〕馬に乗り走らせながら、矢で的を射るもの。平安後期から鎌倉時代にかけて盛んに行われた。現在でも、祭事や神事などで行われる。

御神酒

〔おみき〕酒の美称。おもに、神に供える酒のことをいう。「御神酒徳利」など。

他人事

〔ひとごと〕自分に関係のないこと。「他人事ではない」などという。「たにんごと」とも読む。

極彩色

〔ごくさいしき〕非常に派手な色彩を、何色も使ってあること。また、人目を引くような、けばけばしい色使い。

遣り水

〔やりみず〕庭園などに外から水を入れて、流れるようにしたもの。もしくは、盆栽や植え込みに水をかけてやること。みずやり。

一家言

〔いっかげん〕その人独自の意見や主張。または、見識のある意見。「彼は教育については一家言を持っている」などと使う。

生蕎麦

〔きそば〕小麦粉などの混ぜ物をほとんど加えず、蕎麦粉だけで打った蕎麦。

好事家

〔こうずか〕風流を好む人のこと。変わった物を好む人。

黙示録

〔もくしろく〕新約聖書の巻末にある書。「ヨハネの黙示録」など。「もくしろく」と濁らないで読む。

生兵法

〔なまびょうほう〕中途半端に武術を心得ていること。おもに、知識や技術が十分に身に付いておらず、生半可であることをいう。「生兵法は大けがの基」など。

御利益

〔ごりやく〕神仏を信じることから得られる恩恵のこと。神仏から人間に与えられる幸運。「天神様の御利益がある」などと使う。

土気色

〔つちけいろ〕土のような色。おもに血の気がなく、青黒い顔色のことをいう。

刹那的
〔せつなてき〕ほんの一瞬である様子。瞬間的。「刹那的な快楽」などと、目の前の喜びを求める意味で使うことが多い。

手向け
〔たむけ〕神仏、または死者の前に供物をすること。また、その物。別れる人へのはなむけや餞別の意味でも用いる。「卒業生に対する手向けの言葉」など。

口の端
〔くちのは〕言葉のはしばし。口先。また、噂や評判。話題になったり、噂されることを「口の端に上る」などという。

物の怪
〔もののけ〕人にとりつく死霊や生き霊、妖怪のたぐいのこと。または、そのたたり。「物の怪にとりつかれる」などという。

赤裸々
〔せきらら〕何も体に身につけていないこと。また、あからさまで包み隠しのない様子。「赤裸々な告白」「赤裸々にあばく」などという。

長広舌
〔ちょうこうぜつ〕長々としゃべり続けること。よどみなく話し続けることと。おもに「長広舌をふるう」などと使う。

御用達
〔ごようたし〕商品を宮中や官庁に納入することを許されたことを許された「御用商人」と同じ意味。

粒選り
〔つぶより〕多くの中から選ばれた、とくに優れたもの。よりぬき。「粒選りの選手陣」「粒選りの品を揃える」などと用いる。

仲違い
〔なかたがい〕仲が悪くなること。「友人と仲違いする」などという。

好々爺
〔こうこうや〕善良で心優しい老人。人のよい老人のことをいう。

疫病神
〔やくびょうがみ〕疫病をはやらせる神。また、災難をもたらすと、人からいみ嫌われる人。「彼はとんだ疫病神だ」などという。

乳離れ
〔ちばなれ〕乳児が成長して、母乳を必要としなくなること。また比喩的に、親から自立することもいう。「ちばなれ」とも。

12 知っていますか？「三文字」の漢字②

古文書	案山子	蜃気楼	生一本	三行半	産土神
割烹着	作務衣	不知火	居丈高	赤銅色	未曾有

四方山	衒学的	一段落	胸算用	吉左右	愛弟子
値千金	香具師	花柳界	烏帽子	端境期	不世出

古文書

〔こもんじょ〕古い文書。古証文のこと。とくに歴史の史料となる古い記録のこと。

案山子

〔かかし〕鳥や獣を追い払うため、竹やわらで人に見せかけて作った人形。見かけ倒しの者という意味も。「かがし」とも読む。

蜃気楼

〔しんきろう〕光の異常な屈折により、地上の物体が逆さまに見えたり、浮き上がって見える現象。「蜃」を「唇」と混同しないように。

生一本

〔きいっぽん〕純粋でまじりけのないこと。ひたむきに一つのことに打ち込んでいくこと。「なまいっぽん」などと読まないように。

三行半

〔みくだりはん〕「三下り半」とも書く。離縁すること。江戸時代、夫から妻への離縁状を三行半で書いた習慣から。

産土神

〔うぶすながみ〕生まれた土地の守り神。単に「産神（うぶがみ）」ともいう。

割烹着

〔かっぽうぎ〕炊事などの家事をするとき、着用する上っ張り。「割烹」は、肉を「割いて烹（に）る」ことで、つまりは調理すること。

作務衣

〔さむえ〕禅宗寺院で、僧が作業するときの服。上着は筒袖、打合せを紐で結ぶ。下は裾の絞ったズボン形。「さむい」ではない。

不知火

〔しらぬい〕夜、海上に多くの光が点在し、ゆらめいて見える現象。九州の八代海、有明海で見られる。

居丈高

〔いたけだか〕「いだけだか」とも読み、「威丈高」とも書く。人を威圧するような態度のこと。

赤銅色

〔しゃくどういろ〕赤銅のような、黒くつややかな色。もっぱら、日に焼けた肌を形容するときに使う。「赤銅」は少量の金を含む銅合金。

未曾有

〔みぞう〕「未だ曾（かつ）て有らず」という意味。きわめて珍しいこと。「未曾有の大惨事」「未曾有の値上がり」など。

四方山

〔よもやま〕いろいろな方面、世間のこと。「四方八方（よもやも）」に由来し、「四方山話」という語としてよく使われる。

衒学的

〔げんがくてき〕学者ぶるさま、学識をことさらにひけらかす様子をいう。英語でいえばペダンチック。「衒」は、てらうという意味。

一段落

〔いちだんらく〕物事の間につけられた区切り。あるいは、物事にきりがつくこと。「ひとだんらく」ではない。

胸算用

〔むなざんよう〕何かをする前に、頭の中でざっと計算したり、見積もりをしたりすること。「むねざんよう」と読まないように。

吉左右

〔きっそう〕よい便り、うれしい知らせ。また、よいか悪いか、どちらかの便りという意味もある。この「左右」は、便りのこと。

愛弟子

〔まなでし〕とくに期待をかけて、かわいがっている弟子のこと。「愛」は人を表す名詞につくと、おおむね大切に育てているという意味に。

値千金

〔あたいせんきん〕極めて尊い値打ちがあるものを指す。「値千金のホームランでサヨナラ勝ち」などと使う。

香具師

〔やし〕縁日など人の集まるところに露店を出して、興行や物売りを業としている人のこと。てきや。

花柳界

〔かりゅうかい〕芸者や遊女などの社会のこと。この「花柳」は、芸者、遊女のことで、その世界。

烏帽子

〔えぼし〕公家や武士の世界で、元服した男子のかぶった袋状の冠。カラス色（黒）の帽子であるところから生まれた名。

端境期

〔はざかいき〕前年産の米に代わり新米が出回る前のころ。また、農産物や商品の新旧交替で品薄になる時期。

不世出

〔ふせいしゅつ〕めったに世に現れないほど優れていることを指す。「不世出の選手」などと使う。

13 「体」と関係がある漢字

渋面	
嗄れ声	
疾病	
手解き	
瞠目	
臀部	
悪寒	
唾棄	
悪阻	
寸胴	
瓜実顔	
反吐	

亡骸

困憊

馘首

憔悴

鍼灸

挙措

頭角

腕白

苦肉

頭取

辣腕

入水

渋面

〔じゅうめん〕渋い表情。苦々しい顔つきのこと。しかめっつら。「シブメン」などと読んで、苦み走った二枚目と勘違いしないように。

嗄れ声

〔しゃがれごえ〕しわがれ声のこと。うるおいをなくし、かすれたような声。「風邪をひいて、嗄れ声となった」などと用いる。

疾病

〔しっぺい〕病気、疾患のこと。「しつびょう」ではない。「疾病保険」は、傷病に対し、療養金を給付する保険。

手解き

〔てほどき〕学問や技術などの初歩を教えること。「若い職人に手解きする」「一〇歳で手解きを受ける」など。

瞠目

〔どうもく〕驚いたり感心したりして、目をみはること。「瞠」は、目をみはることを意味する。

臀部

〔でんぶ〕しりの部分。しりのあたり。「臀部から地に落ちる」「臀部の痛み」「臀部が小さくなった」など。

悪寒

〔おかん〕急な発熱から起こる、ゾクゾクとした寒けを感じること。「風邪をひいたらしく、悪寒がしてきた」などという。

唾棄

〔だき〕けがらわしいとして、嫌ったり、軽蔑したりすること。「唾を吐き棄てる」という意味から。

悪阻

〔つわり〕妊娠初期、嘔吐などの症状が出たり、食欲不振になったり、気分や嗜好が変わる状態の総称。

寸胴

〔ずんどう〕円筒形で、上から下まで太さが変わらない様。「寸胴な体型に、あの服は似合わない」などと用いる。

瓜実顔

〔うりざねがお〕瓜の種の形に似て、色白で鼻筋が通り、やや面長な顔。古くから、美人顔の一つとされる。

反吐

〔へど〕飲食した物を口から吐き出すこと。あるいは、その吐いたもの。「反吐を吐きたくなるような気分」などと心理表現にも使われる。

亡骸

〔なきがら〕死んで魂の抜けてしまった肉体。死体。「骸」には、死体、死人の骨という意味がある。

困憊

〔こんぱい〕ひどく疲れること。「憊」は、疲れて動けなくなること。疲れる、気力が弱るという意味。

馘首

〔かくしゅ〕雇い主が使用人を辞めさせること。首を切るという意味から。「大量の馘首」「馘首される」など。

憔悴

〔しょうすい〕病気や心労のために、やつれること。「事故の処理に追われ、このところ憔悴が激しい」などと使う。

鍼灸

〔しんきゅう〕鍼を打ったり、お灸をすえたりする治療法。「かんきゅう」などと誤読しないように。

挙措

〔きょそ〕立ち居ふるまい。おこないのこと。「挙」はふるまう意味、「措」にも、ふるまい、動作という意味がある。

頭角

〔とうかく〕頭の先。頭部。主に「頭角を現す」の形で使い、学問などが人より目立って優れてくること。

腕白

〔わんぱく〕子どもがいたずらで、言うことを聞かないこと。活発で、いたずらや悪さをすること。

苦肉

〔くにく〕相手をあざむくため、自分の身を苦しめること。「苦肉の策」は、苦しまぎれに考え出した手段をいう。

頭取

〔とうどり〕もともとは雅楽などで「音頭を取る人」の意味。そこから、長たる人、銀行の代表者を務める人のこと。

辣腕

〔らつわん〕てきぱきと物事を処理できる能力のあること。敏腕。「辣腕をふるう」などと使う。

入水

〔じゅすい〕水中に身を投げて自殺すること。身投げ。「にゅうすい」と読めば、単に水につかること。

14 まぐれで読めればもうけものの難読漢字

箴言	勤行	久遠	杞憂	陥穽	啓蟄
権化	功徳	化身	煩悩	斯界	俎上

塗師	娑婆	阿諛	会得	陶冶	呪詛
虚仮	揮毫	逼塞	怒濤	蠱惑	貪婪

箴言

〔しんげん〕教訓の意味を持つ短い言葉。格言。「箴」には、戒めるという意味がある。

勤行

〔ごんぎょう〕仏道修行をすること。仏前で、一定の時を定めて行う読経や回向などのおつとめのこと。

久遠

〔くおん〕ある事柄がいつまでも続くこと。「永遠」と同じ意味。仏教用語では、長く久しいこと。

杞憂

〔きゆう〕心配する必要のないことを、あれこれ心配すること。古代中国で、杞の国の人が天が崩れ落ちないかと憂いた故事から。

陥穽

〔かんせい〕動物などを落とし込ませるための穴。転じて、人を落とし入れる策略、わな。「敵の仕掛けた陥穽にはまる」など。

啓蟄

〔けいちつ〕二十四節気の一つ。太陽暦でいうと三月六日ごろ。春の季語。冬ごもりしていた虫が地中から這い出るころをいう。

権化

〔ごんげ〕仏や菩薩が、この世に仮の姿で現れること。転じて、抽象的な性質が具体的な姿で現れること。「悪の権化」など。

功徳

〔くどく〕現世や来世に幸福をもたらすもとになる善行。神仏の恵み。「功徳を積む」など。

化身

〔けしん〕神仏などが姿を変えてこの世に現れること。抽象的な観念が具体的な形となって現れること。「悪の化身」など。

煩悩

〔ぼんのう〕仏教の言葉で、心身を悩まし、煩わせる精神のはたらき。「煩悩に苦しむ」「煩悩からのがれられない」など。

斯界

〔しかい〕その道を専門とする社会・集団。「斯界のリーダー」「斯界では有名な」などと用いる。

俎上

〔そじょう〕まないたの上。「俎上に載せる」は、物事や人物を話題として取り上げ、論議の的にすること。

塗師

〔ぬし〕漆細工や漆器作りのとき、漆を塗る工程に従事する人。「ぬりし」とも読む。

娑婆

〔しゃば〕仏教の言葉で、煩悩や苦しみの多いこの世のこと。束縛されている世界の人たちが、外の自由な世界を指していう語でもある。

阿諛

〔あゆ〕相手の顔色を見て、気に入られるようにふるまうこと。追従。「阿」はおもねる、「諛」はへつらうの意。

会得

〔えとく〕物事の意味を十分に理解して、自分のものとすること。「奥義を会得する」などと使う。

陶冶

〔とうや〕人の性質や能力を鍛えて育てあげること。「人格を陶冶する」などという。「冶」を「治」と見誤って「とうじ」と読まないように。

呪詛

〔じゅそ〕神仏や悪霊に祈って、相手に災いが及ぶように願うこと。「呪」も「詛」も、のろうという意味。

虚仮

〔こけ〕思慮の浅いこと。見かけだおしであること。「虚仮にする」は、バカにして、踏みつけにすること。

揮毫

〔きごう〕毛筆で文字や絵を書くこと。とくに高名な人物が、頼まれて書を書くときにいう。「揮」はふるうという意味、「毫」は筆のこと。

逼塞

〔ひっそく〕落ちぶれて世間から隠れ住み、ひっそりと暮らすこと。「田舎に逼塞する」などという。

怒濤

〔どとう〕荒れ狂う大波のこと。あるいは、激しい勢いで押し寄せていく様のたとえ。「怒濤の攻撃」「怒濤の寄り」など。

蠱惑

〔こわく〕あやしい魅力によって、人をたぶらかすこと。「蠱」も、まどわすという意。「蠱惑的」は、人の心を引きつけ、まどわす様。

貪婪

〔どんらん〕ひどく欲深いこと。「彼は金銭に貪婪な性格だ」「貪婪に知識を吸収する」など。

15 粗末に扱うとケガをする「慣用句」

験をかつぐ		魁となる	
徒となる		身を粉にする	
噯にも出さない		黒白を争う	
音をあげる		目の当たりにする	
首を回らす		斜に構える	
吝かでない		分が悪い	

十重二十重に	顰みに倣う	髣髴とさせる	性に合う	臍をかむ	粋を集める
長大息をつく	野に下る	鎬をけずる	薹が立つ	益もない	鶏冠にくる

験をかつぐ

〔げんをかつぐ〕良い前兆や縁起を気にすること。

徒となる

〔あだとなる〕無駄となって、実を結ばないさま。無益な様子。害となること。「せっかくの親切が徒となる」などという。

噯にも出さない

〔おくびにもださない〕心に秘めて口外せず、そぶりにもみせないこと。「自らの苦労など噯にも出さない」など。「噯」はげっぷのこと。

音をあげる

〔ねをあげる〕苦痛に耐えられず、悲鳴をあげる。弱音を吐く。「厳しい訓練に音をあげる」など。この形では「おと」と読まないように。

首を回らす

〔こうべをめぐらす〕頭を後ろにむけて、振り返ってみる。また、過去を振り返る、思い出すという意味にも使う。

吝かでない

〔やぶさかでない〕何かをする努力を惜しまない。喜んで、何かをする。「協力するに吝かでない」「彼を認めることに吝かでない」などと使う。

魁となる

〔さきがけとなる〕物事のはじめとなる。先んずる。ほかの人より先になること。「時代の魁となる」「流行の魁」などと用いる。

身を粉にする

〔みをこにする〕辛いことをいとわず、努力する。労力を惜しまず、働く。「身を粉にして働く」などという。「こな」と読むのは間違い。

黒白を争う

〔こくびゃくをあらそう〕物事の善悪や是非、道理などをはっきりさせること。「法廷で黒白を争う」などと用いる。

目の当たりにする

〔まのあたりにする〕人づてでなく、目の前にする。「霊峰を目の当たりにする」「事故を目の当たりにする」などと使う。

斜に構える

〔しゃにかまえる〕まともにとりあわず、皮肉や遊びの態度で接する。「斜に構えた態度」「世間に対して斜に構える」などという。

分が悪い

〔ぶがわるい〕形勢が悪い。不利である。勝てる見込みがないこと。

十重二十重に
〔とえはたえに〕いくえにも多く重なるように、取り囲んでいること。「野次馬が十重二十重に取り囲んでいる」などと使う。

顰みに倣う
〔ひそみにならう〕考えもなしに、いたずらに人の真似をすること。もしくは、他人を見習うときに謙遜していう。「先人の顰に倣う」など。

髣髴とさせる
〔ほうふつとさせる〕眼前にありありと思い出すこと。目の当たりに見る思いがすること。また、その様子。「亡き父を髣髴とさせる」など。

性に合う
〔しょうにあう〕その人の好みや気質に合うこと。生まれつきの性質にあっていること。「性に合った仕事をする」などと使う。

臍をかむ
〔ほぞをかむ〕及ばないことを悔やみ、後悔する。「臍」はへそのこと。

粋を集める
〔すいをあつめる〕すぐれているものを集める。えりぬき。「科学技術の粋を集める」「日本文化の粋を集める」などという。

長大息をつく
〔ちょうたいそくをつく〕長く大きい息をつく。大きなため息をつく。

野に下る
〔やにくだる〕公職を退き、民間の生活に入る。官途につかないこと。「官を辞して、野に下る」などと使う。「下野する」ともいう。

鎬をけずる
〔しのぎをけずる〕実力が近いもの同士が、激しく争う。刀の鎬を削り合うように、互いが激しく切り合うことから。「鎬をけずる選挙戦」などという。

薹が立つ
〔とうがたつ〕野菜などの食べごろが過ぎ、かたくなる。比喩的に人が盛りを過ぎる意味でも使う。「新人というわりには、薹が立っている」など。

益もない
〔やくもない〕無駄で、何の利益もない。「何の益もない書物」などと使う。

鶏冠にくる
〔とさかにくる〕「頭に来る」「腹が立つ」を強調した俗ないい方。

Step

5

覚えておいて損はない四字熟語

1 四字熟語チェックテスト①

□に漢字を入れて四字熟語を完成させて下さい。

異□同□	口をそろえて同じことを言う
□差□別	同じものがないこと
十人□□	人それぞれの考えや好みがある
狂□□舞	たいへん喜ばしいこと
□寒□温	寒い日、暖かい日のくり返し
閑□休□	話の本題に入ること
無□息□	病気がなくて健康なこと
一□□切	何もかも全部
起□転□	文章などの構成方法
花鳥□□	自然や季節の美しさ
興味□□	興味や関心が次々と沸く
□転□倒	激しい苦痛や苦しみに悶える

猪□□進	体当たりで物事を進めること
言□□断	言い表せないほどひどいこと
□羅□象	すべてのものやこと
才□□備	才能と美しさを備えた女性
□刀□入	すぐ本題に入ること
茫□自□	気が抜けてぼんやりしている状態
□暴□棄	投げやりな行動を取ること
□代□聞	とても珍しく変わっていること
眉□□麗	顔かたちが整っているさま
□磋琢□	互いに励まし鍛錬し合うこと
津津□□	全国のあらゆる所
百□錬□	多くの体験をして鍛えること

異口同音

〔いくどうおん〕人々が口をそろえて同じことを言うこと、人々の考えが同じで、皆が同意する様子をいう。

千差万別

〔せんさばんべつ〕たくさんの物事がある中、一つとして同じものはなく、さまざまな特徴があること。

十人十色

〔じゅうにんといろ〕人はそれぞれ考え方や好みに違いがあるということのたとえ。「十人寄れば十色」ともいう。

狂喜乱舞

〔きょうきらんぶ〕「狂喜」は狂ったように喜び、「乱舞」は入り乱れて踊ること。たいへん喜ばしいことを表す。

三寒四温

〔さんかんしおん〕冬から春に移り変わる時期、寒い日が三日間続くと、その後四日間は暖かい日が続くように、周期的に繰り返される気象現象のこと。

閑話休題

〔かんわきゅうだい〕前置きや無駄話を打ち切って、話の本題に入ること。本筋から脱線した話題を、元に戻すときに使う。

無病息災

〔むびょうそくさい〕病気がなく、健康であること。一方、持病が一つくらいあったほうが、体を気遣うのでよしとする「一病息災」という語もある。

一切合切

〔いっさいがっさい〕残らず。何もかも全部。すべて。「合切」は「合財」と書くこともある。

起承転結

〔きしょうてんけつ〕本来は、「起」で始めて「承」で受け、「転」で変化をつけ、「結」で終わらせる漢詩の構成方法。文章や物事の構成に対して使われる。

花鳥風月

〔かちょうふうげつ〕自然や四季折々の美しい風景。また、それらを鑑賞し、題材にした詩歌・絵画をたしなむこと。「花鳥風月を友にする」という成句もある。

興味津々

〔きょうみしんしん〕興味や関心が次々とわいて尽きない様。「津」は「港」を表す。「津津」と重ねると、水が大量にあふれ出るという意味になる。

七転八倒

〔しちてんばっとう〕何度も倒れ込むかのように、激しい苦痛や苦しみのために悶えたり、あえいだりする様。「七転八起」と見誤らないように。

猪突猛進
〔ちょとつもうしん〕激しい勢いで突進してくる猪のように、物事をまっしぐらに進めること。冷静な状況判断もなく、後先も考えずに行動してしまうこと。

言語道断
〔ごんごどうだん〕「道断」は仏教語で、本来は「言い表せないほど、奥深い真理」のことだが、今日では「言葉にできないほどひどい」という意味に。

森羅万象
〔しんらばんしょう〕宇宙に存在する、すべてのものや事柄。「森羅」は「樹木がかぎりなく茂る」「多くのものが連なる」こと。「万象」は「すべての形あるものや現象」。

才色兼備
〔さいしょくけんび〕優れた才能と美しい容貌の両方を兼ね備えた女性を形容する語。男性に対しては使わない。

単刀直入
〔たんとうちょくにゅう〕一本の刀だけを携え、真正面から敵陣に切り込むというのが、本来の意味。そこから、前置きを言わず、すぐに本題に入ること。

茫然自失
〔ぼうぜんじしつ〕思いもよらない出来事により、呆気（あっけ）に取られ、気が抜けて、我を忘れてぼんやりしてしまう状態のこと。

自暴自棄
〔じぼうじき〕思いどおりにならないことに失望し、投げやりな行動を取ること。「自暴」は自分自身の身を損なうこと。「自棄」は自分の身を捨てることで、「やけ」とも読む。

前代未聞
〔ぜんだいみもん〕今まで聞いたこともないほど珍しく、変わっていること。現在は、「前代未聞の事件」など、人が驚き、あきれる出来事に用いられることが多い。

眉目秀麗
〔びもくしゅうれい〕顔かたちが優れていて、整っている様。とりわけ「眉目秀麗の好青年」のように、男性の容貌について用いる。

切磋琢磨
〔せっさたくま〕「切」は切る、「磋」は荒く磨く、「琢」は形を整える、「磨」は磨くことを表す。玉や石を磨くことから、腕前や技量を磨くことに使われる。

津津浦浦
〔つつうらうら〕「津」は水がうるおっているすべての場所、「浦」は海、湖、川などの水辺。転じて、全国のあらゆる所という意味。

百戦錬磨
〔ひゃくせんれんま〕多くの体験をして、技術や才能を鍛えること。あるいは、そういう人

2 四字熟語チェックテスト②

□に漢字を入れて四字熟語を完成させて下さい。

□気□合　人の気持ちなどがぴったり合う	一陽来□　運気が向いてくること
□意専心　一つのことに心を集中する	□子豹変　態度を急に変えること
風□□山　武田信玄が旗印にした言葉	佳人□命　美人にかぎって不幸なこと
□□眈々　じっと好機をうかがう様子	行雲□水　自然にまかせて生きること
□床□夢　仲間でも考え方などが一致しない	神出□没　不意に姿を現したり消えたりする
戦□□恐　悪い予感におびえる	泰然自□　落ち着きはらっている様子

四字熟語	意味
□蓮托生	最後まで運命をともにする
□言壮語	威勢のよいことを言うこと
危急□亡	危機が迫っていて危ういこと
□意即妙	その場その場で機転をきかせる
手練手□	人をだますための手段や技術
落□流水	時が移ろうこと
□行無常	永久に変わらないものはないこと
五臓□腑	人間のすべての内臓のこと
□放磊落	ささいなことにこだわらない
後□大事	物事を大事にする様子
雲散□消	物事が消えてなくなること
安心立□	心を動かさず超然としている様

意気投合

〔いきとうごう〕気持ちが通じ合うこと、互いの気持ち・考えが一致し、親しくなることをいう。

一意専心

〔いちいせんしん〕ほかのことに心を向けず、一つのことだけに心を集中する様子をいう。「専心一意」という言葉もある。

風林火山

〔ふうりんかざん〕「其の疾きこと風の如く、其の徐かなること林の如く、侵掠すること火の如く、動かざること山の如し」の略。武田信玄が旗印に記したことで有名。

虎視眈々

〔こしたんたん〕野望を遂げるため、じっと好機をうかがっている様子を表す。「社長の椅子を虎視眈々と狙う」などと使う。

同床異夢

〔どうしょういむ〕人と人とは同じ寝床に寝ながらも、互いに異なる夢を見るように、互いに仲間であっても、目的や考え方などが一致しないこと。

戦戦恐恐

〔せんせんきょうきょう〕悪いことが起こるのではないかという予感におびえ、びくびくする様子。「恐恐」は「兢兢」とも書く。

一陽来復

〔いちようらいふく〕本来は、陰(悪い気)が極まり、陽(よい気)が復活すること。そこから「苦難の時期が過ぎ、運気が向いてくる」「冬が終わり、春が来る」という意味に。

君子豹変

〔くんしひょうへん〕本来は、「君子は自分の過ちに気づくとすぐ改める」ということいい意味だが、単に態度や主張が急に変わることの意味で使われる。

佳人薄命

〔かじんはくめい〕美人にかぎって、不幸だったり、病弱で早死にしたりするものであるという意味。「美人薄命」ともいう。

行雲流水

〔こううんりゅうすい〕何かにとらわれることなく、自然にまかせて思うがままに生きる様子。「あの俳人は行雲流水の暮らしの中、名句を生んだ」などと使う。

神出鬼没

〔しんしゅつきぼつ〕もともと臨機応変に行動する兵法の達人を指したが、現在では、不意に現れたかと思うと、またすぐ居場所がわからなくなることをいう。

泰然自若

〔たいぜんじじゃく〕「泰然」は落ち着いている様子、「自若」はあわてない様子のこと。ゆったりと落ち着きはらった態度で、物事に動じないこと。

一蓮托生
〔いちれんたくしょう〕もとは「極楽の同じ蓮華（れんげ）の上で生まれ変わる」ことで、そこから最後まで運命をともにすることをいう。

大言壮語
〔たいげんそうご〕実力以上に威張って威勢のよいことを言うこと。できもしないことを、いかにもえらそうにいうこと。

危急存亡
〔ききゅうそんぼう〕危機が迫り、生死の瀬戸際であること。「危急存亡の秋（とき）」という成句の形でよく使われる。

当意即妙
〔とういそくみょう〕その場に応じて、機転をきかせること。また、その場に合わせた言動をすること。

手練手管
〔てれんてくだ〕「手練」「手管」は、ともに人を丸め込む駆け引きの技のこと。そこから、人をだますための手段や技術をいう。

落花流水
〔らっかりゅうすい〕花が落ちること。水が流れること。そこから、時が移ろうこと。また、花を乗せ流れる様子から、男女が相思相愛になるたとえ。

諸行無常
〔しょぎょうむじょう〕この世のあらゆる現象は常に変化している、という仏教の教え。『平家物語』の「祇園精舎の鐘の声、諸行無常の響きあり」の一節が有名。

五臓六腑
〔ごぞうろっぷ〕人間のすべての内臓を指す。五臓は肝、心、脾、肺、腎。六腑は大腸・小腸・胃・胆・膀胱・三焦（さんしょう）をいう。転じて心の中、腹の中という意味も。

豪放磊落
〔ごうほうらいらく〕気持ちが大らかで、神経が太く、ささいなことにはこだわらない様子。

後生大事
〔ごしょうだいじ〕本来は、来世の安楽を得るために、物事を大切にし、善行を積むことをいうが、物事を大事にするあまりの消極的な様子にも使われる。

雲散霧消
〔うんさんむしょう〕雲や霧が消えるように、物事がきれいに消えてなくなること。わだかまりや悩みが消え、さっぱりした気持ちになる意味にも用いる。

安心立命
〔あんじんりゅうめい〕どんな場合でも、天命に身をまかせて心を動かさない様子。近年は「あんしんりつめい」と読んでも間違いではない。

3 なぜかよく出る四字熟語

□順風満帆――〔じゅんぷうまんぱん〕順風は追い風。追い風を帆いっぱいに受けて船が進む様子から、物事が順調に進むことのたとえ。「就職も決まったし、彼女もできた。オレの人生は順風満帆だ」などと用いる。「まんぽ」と読んではいけない。

□一期一会――〔いちごいちえ〕一生に一度の出会い。茶道から出た言葉で「茶会に臨むときは、この機会は一生に一度と思って誠意を尽くせ」の意。「一期」は、もとは仏教語で人間が生まれてから死ぬまで。

□晴耕雨読――〔せいこううどく〕晴れた日には田畑を耕し、雨の日には読書をする。悠々自適な生活を送るさま。「退職後は、故郷に戻って晴耕雨読の毎日を送りたい」などと用いる。

□千載一遇――〔せんざいいちぐう〕「千載」は「千歳」、つまり「千年」のこと。千年に一度めぐり会うほどの珍しい機会。「こんな場所で憧れの人に出会うとは、まさに千載一遇のチャンスだ」などと用いる。

□天衣無縫―〔てんいむほう〕飾り気がなく、無邪気なさま。または、そのような人。もとは天女の衣には縫い目がないことから、詩文などでわざとらしさがなく、しかも美しいことを指した。

□生殺与奪―〔せいさつよだつ〕生かす、殺す、与える、奪うといった事柄を自由に行うこと。相手をどうしようと思いのままである状態。「わが社の生殺与奪の権を握っているのは銀行だ」などと用いる。

□周章狼狽―〔しゅうしょうろうばい〕思いがけない出来事が生じ、大いに慌てること。「周章」「狼狽」ともに、慌てふためくの意。「突然の左遷命令に、彼は周章狼狽した」などと用いる。

□慇懃無礼―〔いんぎんぶれい〕「慇懃」は礼儀正しいさま。態度が丁寧すぎて、かえって失礼なこと。うわべは丁寧だが、本心では相手を軽く見ていること。「敬語も使いすぎると慇懃無礼になる」などと用いる。

□虚々実々――〔きょきょじつじつ〕この「虚」はウソではなく、守りの弱いところという意味。「実」は固い守り。敵の実を避け、虚をついて戦うの意から、その場に応じた計略や技を出して戦ったり、駆け引きしたりすること。

□換骨奪胎――〔かんこつだったい〕骨を取り換えて、胎児を自分のものにするの意で、先人の詩文の内容をそのまま用いて、新しい作品をつくる手法のこと。転じて先人の作品をもとに新しい作品を創作すること。

□切歯扼腕――〔せっしやくわん〕「切歯」は歯ぎしりすること。「扼腕」は悔しさや残念さで、思わず腕を握りしめること。ひどく残念がる様子や、怒りのぶつけどころがなく、いらいらする様子を指す。

□以心伝心――〔いしんでんしん〕言葉を使わなくても、考えていることが相手に伝わること。もとは禅宗の言葉で、言葉で表すことのできない仏法の真理を、心を用いて弟子に伝えることを指す。

□空中楼閣――〔くうちゅうろうかく〕「楼閣」は階を重ねてつくった建物。空中に楼閣を築くような、根拠のない物事や実現性のない計画を指す。もとは蜃気楼を意味し、そこから転じた言葉。

□針小棒大――〔しんしょうぼうだい〕針のように小さなものを棒のように大きく言うこと。物事を大げさに言うたとえ。「商品の宣伝には針小棒大なものも多いから、注意して聞いたほうがいい」などと用いる。

4 できる大人が使いこなす四字熟語

□臥薪嘗胆――〔がしんしょうたん〕目的を果たすため、苦労を重ねること。中国・春秋時代、父を殺された越王・勾践《こうせん》が、恨みを忘れないため、薪の上に寝、肝を嘗めて辛さや苦さを味わい、やがて仇を討ったという故事から。

□岡目八目――〔おかめはちもく〕「傍目八目」とも書く。第三者のほうが、当事者より物事がよくわかること。囲碁から出た言葉で「はたで見ている人のほうが、実際に対局している人より、八目分は強い」の意。

□海千山千――〔うみせんやません〕さまざまな経験を積み、世間の表も裏も知り抜いて、一筋縄ではいかないこと。または、そういう人。「海に千年、山に千年住んだ蛇は、竜になる」という中国の故事から。

□不倶戴天――〔ふぐたいてん〕「倶《とも》に天を戴かず」の意で、この世に一緒に生きられないほど、相手を深く憎んでいるさま。「あいつは不倶戴天の敵だ」などと用いる。

□百家争鳴――〔ひゃっかそうめい〕思想や立場の違うさまざまな学者や論客が、自由に意見を発表し、論争すること。かつては中国共産党のスローガンの一つで、「百家」は多くの学者。

□粉骨砕身――〔ふんこつさいしん〕骨を粉にし、身を砕くように、力の限りを尽くして努力すること。「わが社の発展のために、粉骨砕身の精神で頑張ります」などと用いる。

□竜頭蛇尾――〔りゅうとうだび〕最初は立派だが、最後は貧弱であること。頭は竜のように立派だが、尾は蛇のように細いの意。「この映画は最初は面白いが、やや竜頭蛇尾のきらいがある」などと用いる。

□国士無双――〔こくしむそう〕国内に並ぶ者のいない、優れた人物。漢の王・劉邦の部下、蕭何《しょうか》が、同じく部下の名将韓信について、他に比ぶべくもない「国士無双」とたたえた故事から。

□流言蜚語――〔りゅうげんひご〕世の中を飛び回っている根拠のない噂。「蜚」はアブラムシ、飛ぶの意。「流言飛語」とも書く。「流言蜚語がもとで、地元の銀行で取り付け騒ぎが起こった」などと用いる。

□和魂洋才――〔わこんようさい〕日本人固有の精神を保ちつつ、西洋の学問を採り入れること。菅原道真の遺訓とされる「和魂漢才（日本人の精神を持ちながら中国の学問を採り入れる）」を応用した言葉。

□自縄自縛――〔じじょうじばく〕自分の縄で自分を縛るように、自分の言動によって、行動が制限されてしまうこと。「彼は自らの発言が災いして、自縄自縛に陥ってしまった」などと用いる。

□同工異曲――〔どうこういきょく〕今は、見かけは異なっているようだが、中身は同じという意味。悪いニュアンスを伴って使うことが多い。もとは中唐の詩人・韓愈《かんゆ》の『進学解』で、学生が韓愈の文章を同工（手際は同じ）でも味わいが異なるとたたえたことから。

□内憂外患――〔ないゆうがいかん〕国内における心配事と外国から受ける心配事。「増えつづける国債に加え、円高ドル安の流れも止まらず、日本経済は内憂外患の状態にある」などと用いる。

□馬耳東風――〔ばじとうふう〕人の意見や批判などに、聞く耳を持たないこと。「東風」は春に吹く、心地よい風。そんな風が耳元に吹きつけても、馬は何とも思わないことから。

□自家撞着――〔じかどうちゃく〕「自家」は自分。「撞着」は突き当たる。同じ人の言葉や文章が、前と後とで食い違っていること。「首相の発言は最近、自家撞着に陥っている」などと用いる。

□一衣帯水――〔いちいたいすい〕「衣帯」は帯のこと。一本の帯のように狭い川や湖、海。そこから狭い川や湖、海で隔てられている様子も指す。「日本と中国は、一衣帯水の関係にある」などと用いる。

□画竜点睛――〔がりょうてんせい〕最後の仕上げ。「睛」はひとみ。中国の画家・張僧繇《ちょうそうよう》が壁に竜の絵を描き、最後に目を描き入れたところ、壁から竜が出て、天に飛んでいったという故事から。「がりゅう」と読むのは間違い。

5 知らないと話にならない四字熟語

□玉石混淆――〔ぎょくせきこんこう〕「玉」は宝石。宝石と石が混ざっているように、良いものと悪いものが入り混じった状態。晋の葛洪《かっこう》『抱朴子』外篇の尚博篇で、軽薄な詩を持てはやす世間を嘆いた言葉が出典。

□万古不易――〔ばんこふえき〕「万古」は遠い昔。または永久。「不易」は変わらないこと。遠い昔から未来まで、いっさい変わらないこと。「男が美人に弱いのは、万古不易の理だ」などと用いる。

□百花繚乱――〔ひゃっかりょうらん〕多くの花が咲き乱れるさま。転じて優れた人、華やかなものが多くあるさまのたとえ。「繚」はまとわりつくの意。「今年の文壇は百花繚乱で、優れた新人が多く出た」などと用いる。

□百鬼夜行――〔ひゃっきやこう〕さまざまな鬼が列をなし、夜道を歩くこと。転じて多くの人が、悪行を成すさまのたとえ。「あの業界は百鬼夜行の状態だ」などと、得体の知れない集団に対して用いることも多い。

□唯我独尊――〔ゆいがどくそん〕世界で自分が一番偉いと、うぬぼれること。釈迦が生まれたとき、「天上天下、唯我独尊」と述べたという逸話があり、そこから転じた言葉。

□合従連衡――〔がっしょうれんこう〕情勢に応じて、いろいろな勢力が手を結んだり離れたりすること。「合従」は縦の連合。「連衡」は横の連合で、中国・戦国時代の故事から。「業界内でさまざまな合従連衡が行われている」などと用いる。

□温故知新――〔おんこちしん〕昔のことを調べ、そこから新たな知識や見解を得ること。出典は『論語』。「昔の家には学ぶところが多くある。まさに温故知新だ」などと用いる。

□片言隻句――〔へんげんせきく〕ほんのちょっとした言葉のこと。「片言」はわずかな言葉。「隻句」は一つの句。「へんげんせっく」とも読む。「偉人の片言隻句から学ぶことは多い」などと用いる。

□呉越同舟――〔ごえつどうしゅう〕仲の悪い者同士が、同じ場に居合わせること。中国・春秋時代、敵同士であった呉の国と越の国の人が同じ舟に乗り合わせたとき、助け合って突風から舟を守ったという逸話にちなむ。

□明鏡止水――〔めいきょうしすい〕「明鏡」は明るく曇りのない鏡、「止水」は波立っていない止まった水で、ともに澄みきって邪念のない心のたとえ。「つねに明鏡止水の心境でありたい」などと用いる。

□捲土重来――〔けんどちょうらい〕一度失敗したものが、再び勢いを増して攻めること。「けんどじゅうらい」ともいう。晩唐の詩人・杜牧《とぼく》が、武将・項羽《こうう》の死を惜しんでつくった「烏江亭に題す」が出典。

□五里霧中――〔ごりむちゅう〕「五里霧の中」の意味で、「五里霧」は、五里四方を深い霧で覆わせる中国の道術。霧が深くて周囲が見えないように、物事の様子がわからず、方針や計画が立たないさま。

□獅子奮迅――〔ししふんじん〕獅子が奮い立って猛進するように、激しい勢いのあること。または勇敢に闘うさま。「今回の試合で彼は獅子奮迅の働きを見せ、見事に勝利を勝ち取った」などと用いる。

□朝三暮四――〔ちょうさんぼし〕うまい言葉で人をダマすこと。猿回しが猿に、エサの栗を「朝三つ、夜四つにする」と言うと猿たちは怒り、「朝四つ、夜三つにする」と言うと喜んだという中国の故事から。

□四面楚歌――〔しめんそか〕周りが敵や反対者ばかりで、味方が一人もいないこと。楚の項羽が漢軍に囲まれたとき、四面から楚の歌が聞こえることから、もはや楚は漢軍にくだったと知ったという故事から。

□巧言令色――〔こうげんれいしょく〕「巧言」は巧みに飾った、心にもない言葉。「令色」は他人に気に入られるため、とりつくろった顔つき。合わせて、言葉を飾り、上辺をとりつくろって、他人にこびへつらうさまをいう。

□勧善懲悪――〔かんぜんちょうあく〕善いことを勧め、悪を懲らしめること。略して「勧懲」とも言う。「勧懲小説」は、善玉と悪玉が登場し、最終的に悪が滅び、善が栄えるさまを描いた小説。

□一騎当千――〔いっきとうせん〕「一騎」は馬に乗った一人の武者。一騎で千人の敵を相手に戦えるほど、強い力をもった人のこと。「一人当千」とも言う。「彼は一騎当千の強者だ」などと用いる。

□我田引水――〔がでんいんすい〕「自分の田にだけ水を引く」の意から、自分に都合よく物事を解釈したり、行動したりすること。類義語に「牽強付会《けんきょうふかい》（自分に都合がいいよう強引にこじつけること）」がある。

□青天白日――〔せいてんはくじつ〕青空に太陽が輝くこと。転じて、少しのやましさもないこと。または疑いが晴れて無罪になること。「私はいつも青天白日だ」「これで青天白日の身になった」などと用いる。

6 確実にモノにしたい四字熟語

□夜郎自大――〔やろうじだい〕身のほど知らずで、威張っていること。出典は『史記』。漢代の小国・夜郎の王が、漢の大きさも知らず、「我が国と漢国ではどちらが大きいか」と尋ねたという逸話から。

□酒池肉林――〔しゅちにくりん〕贅を凝らした酒宴。出典は『史記』。暴君で知られる紂王《ちゅうおう》が、酒を池とし、肉を林にかけた宴を催したという故事から。この肉は、あくまで食用の肉であり、セックスをめぐる意味合いはない。

□朝令暮改――〔ちょうれいぼかい〕朝出された命令が夕方には変更されるように、法律などが次々変わり、方針が定まらないこと。「時代が急速に変化する昨今、朝令暮改はけっして悪ではない」などと用いる。

□隠忍自重――〔いんにんじちょう〕ひたすら耐え忍び、軽々しい行動をとらないこと。「隠忍」は辛さを我慢すること。「自重」は自分自身を慎むこと。「過去を反省し、当分は隠忍自重せよ」などと用いる。

□月下氷人――〔げっかひょうじん〕男女の仲をとりもつ人。仲人。旅人の未来の妻を予言した「月下老人」、氷の下から近く仲人を頼まれることを告げた「氷人」という、二つの中国の故事を合わせた言葉。

□愛別離苦――〔あいべつりく〕仏教で説く、避けることのできない人生の苦しみ「四苦八苦」の一つ。夫婦、恋人などの愛する者との生き別れ、死別する苦しみや悲しみをいう。

□一視同仁――〔いっしどうじん〕すべての人物に対し、差別することなく、平等で思いやりあふれた態度で接すること。「仁」は思いやり慈《いつく》しむ心。中国の韓愈《かんゆ》の言葉。

□右顧左眄――〔うこさべん〕周囲の様子ばかりを気にして、なかなか決断しない優柔不断な態度のこと。「顧」は振り返って見ること、「眄」は横目で見るという意味。

□牽強付会――〔けんきょうふかい〕道理が合わなくても、自分の都合のいいよう強引に理屈をこじつけること。

□甲論乙駁――〔こうろんおつばく〕甲がある説を論じると乙が反対するように、議論がまとまらない様子。「駁」はまだらになっていることで、「まぜかえす」という意味がある。

□経世済民――〔けいせいさいみん〕世を治め、民衆を苦しみから救うような、よい政治のこと。「経世」は世を治める、「済民」は民衆を救うの意。「経済」はこの略語。

□千篇一律――〔せんぺんいちりつ〕どれも変わりばえがなく、一本調子でおもしろみがないこと。「千篇」は「数多くの詩文」という意味、「一律」は「同じ調子」の意。

□面壁九年――〔めんぺきくねん〕ある物事に専念し、辛抱強く努力すること。達磨《だるま》大師が九年もの間、壁に向かって坐禅を組み続け、悟りを得たという故事に由来する。

□大同団結――〔だいどうだんけつ〕複数の団体や党派が、意見が多少違っていても、一つにまとまって、共通の目的を成し遂げようとすること。

□浅学非才――〔せんがくひさい〕学問や見識が浅く、才能が乏しいこと。「非才」は「菲才」とも書く。おもに、自分のことをへりくだっていうときに用いる。

7 教養としておさえたい四字熟語

□有耶無耶——〔うやむや〕物事がはっきりしない、曖昧なこと。「有りや無しや」を漢文調で書いた「有耶無耶」が音読されるうち、「有耶無耶」という言葉が生まれたという説がある。

□一罰百戒——〔いちばつひゃっかい〕一人の悪人や一つの罪に対して、厳しい罰を与えることによって、その他大勢の者の注意を喚起し、同じような罪を犯さないように戒めること。

□知行合一——〔ちこうごういつ〕真に知ることとは、実行を伴うとする考え方。王陽明が唱えた陽明学の核心をなす「知行合一説」。この考えに従って江戸後期大塩平八郎は乱を起こした。

□不撓不屈——〔ふとうふくつ〕失敗しても、くじけず挑戦し続ける精神をもっている様子。「不撓」は「たわまない」という意味。「不撓不屈の精神で立ち向かう」などと使う。

□率先垂範――〔そっせんすいはん〕自ら先頭に立って行動し、手本を示すこと。「率先」は人の先頭に立つこと。中国の史書『史記』にある漢の丞相《じょうしょう》、周勃《しゅうぼつ》が率先して皇帝の命令に従った話からきている。「垂範」は模範を示すこと。

□唯唯諾諾――〔いいだくだく〕物事の善悪や是非にかかわらず、他人の言動の言いなりになる様子。「唯唯」も「諾諾」も、畏まった返事の言葉。中国古典の『韓非子《かんぴし》』に由来。

□会者定離――〔えしゃじょうり〕仏教用語で、出会ったものは必ず別れる運命にあるという意味。仏典では、「生者必滅《しょうじゃひつめつ》、会者定離」など、世のはかなさを表すときに用いられる。

□文人墨客――〔ぶんじんぼっきゃく〕詩歌・書画など、風雅の道を生業とする人。文人と芸術家。「墨客」は書画にすぐれた芸術家のことで、「ぼっかく」とも読む。

□三位一体――〔さんみいったい〕三つの別々の要素が一つに結びつくこと。本来は、キリスト教の教義で、三位（創造主、イエス・キリスト、聖霊）は本質において同一とする考え方。

□信賞必罰――〔しんしょうひつばつ〕『韓非子』に書かれた君主が臣下を支配するための方法。功績があった者は賞を与え、罰すべき者には処罰を与え、賞罰を明らかに行うこと。

□虚心坦懐――〔きょしんたんかい〕わだかまりのない、素直でさっぱりした心境のこと。「虚心」はわだかまりのない心、「坦懐」は情に左右されない平安な気持ちをいう。

□気宇壮大――〔きうそうだい〕度量、構想、志などが並はずれて大きく、立派であるさま。「気宇」は心の広さ、器量の意。「壮大」はさかんで大きいことを表す。しかし、現在では「気宇壮大な計画」などというと、暗に現実性に乏しいというニュアンスが含まれる。

□八面六臂――〔はちめんろっぴ〕一人で多方面にわたって、何人分もの大活躍をすること。「臂」は腕のことで、もとは顔が三つ、手が六本ある仏像に由来する語。三面が八面に変化したのは、語呂がよかったからとみられる。

□比翼連理――〔ひよくれんり〕男女の仲がとてもよいこと。「比翼の鳥」は、雌雄一体の想像上の鳥。「連理の枝」は別々に生えた二本の木が結合し、一本の枝となったもの。

□一気呵成――〔**いっきかせい**〕「一気」は一呼吸、「呵」は息を吐くという意味で、短時間に物事を一気に成し遂げることをいう。「原稿を一気呵成に書き上げた」などと使う。

□人面獣心――〔**じんめんじゅうしん**〕顔は人の形をしていても、心は獣同然で、義理や人情、恥を知らない無慈悲な人のこと。人の道にはずれる心の持ち主を非難する言葉。

□白河夜船――〔**しらかわよふね**〕京へ行ったことのない人が、「白河」という地名について聞かれ川の名前だと思い、「夜に船で通ったが、眠っていたので知らない」と答えて嘘がばれた話から、眠っていて何も知らないことをいう。また知ったかぶるという意味もある。

□談論風発――〔**だんろんふうはつ**〕「談論」は談話と議論のこと、「風発」は風が勢いよく吹く様子を意味し、議論が活発に行われることをいう。

□容貌魁偉――〔**ようぼうかいい**〕男性の顔立ちや体格がたくましく、堂々としたさま。「魁」は、力士の四股名《しこな》にもよく使われるように、大きいこと、「偉」は堂々としているさまを表す。化け物のようなという意味で使うのは間違い。

□身体髪膚――〔しんたいはっぷ〕「身体」から「毛髪」「皮膚」に至るまでのからだ全体。それぞれ、親から受け継いだかけがえのないものという孔子の教えに登場する。

8 一目おかれる！ハイレベルな四字熟語

□粒粒辛苦――〔りゅうりゅうしんく〕こつこつと地道に努力すること。「粒粒皆辛苦」の略で、米一粒一粒は農民の努力や苦労のたまものであることから。「彼は粒粒辛苦して、今日の地位を築いた」などと用いる。

□南船北馬――〔なんせんほくば〕忙しくあちこち旅して回ること。出典は前漢時代の書『淮南子《えなんじ》』で「南方は川が多いので船で旅し、北方は陸が多いので馬で旅する」とあることから。

□多岐亡羊――〔たきぼうよう〕道が多すぎて羊を見失うように、学問の道があまりに多方面に分かれているため、真理を得るのが難しいこと。または方針が多数あるため、どれを選べばいいか判断に迷うこと。

□和光同塵

〔わこうどうじん〕優れた能力を隠して、俗世間の人々と交わること。「和光」は本来の光（知恵）を和らげ、隠すこと。「同塵」は世の中の塵と同じになること。出典は『老子』。

□明眸皓歯

〔めいぼうこうし〕「明眸」は明るく澄んだひとみ。「皓歯」は白く美しい歯。両方を持っている人、すなわち美人を形容する言葉。「新婦は、明眸皓歯の持ち主だ」などと用いる。

□鎧袖一触

〔がいしゅういっしょく〕簡単に敵を倒すこと。鎧の袖を一振りするだけで、敵を打ち負かす様子をたとえた言葉。「戦局は非常に優勢で、鎧袖一触の勢いで突き進んでいる」などと用いる。

□山紫水明

〔さんしすいめい〕山は日に照らされて紫色に見え、川（水）は明るく澄みきっているさま。景色の美しいことのたとえ。江戸後期の儒学者・頼山陽《らいさんよう》が、眺望の素晴らしい自宅の書斎に付けた名前から。

□拈華微笑――〔ねんげみしょう〕言葉や文字を使わず、心から心に伝えること。以心伝心。お釈迦様が説法のため蓮華を拈《ひね》ってみせたところ、迦葉《かしょう》だけが意味を理解し、微笑んだという逸話から。

□偕老同穴――〔かいろうどうけつ〕「偕老」はともに老いること。「同穴」は死後同じ墓に入ること。いずれも出典は『詩経』。両者を合わせ、夫婦が仲のよいさまにたとえた。

□堅忍不抜――〔けんにんふばつ〕どんな困難や誘惑に出会っても、心を動かさず、我慢すること。「遊びの誘いも断り、堅忍不抜の精神で仕事に精を出した」などと用いる。

□夏炉冬扇――〔かろとうせん〕夏の火鉢や冬の扇のように、季節はずれで役に立たないこと。転じて、役に立たない人や物。「せっかく買った名刺入れも、退職した今では夏炉冬扇だ」などと用いる。

□曲学阿世――〔きょくがくあせい〕「曲学」は真理を曲げた学問。「阿世」は世の大勢におもねること。世間から評価を得るため、真理に背いた説を唱えることを指す。「あの学者は曲学阿世の徒だ」などと用いる。

□羽化登仙――〔うかとうせん〕中国の神仙思想からきている言葉で、人間に羽が生え、仙人になって天に昇ること。そこから、ほろ酔い気分になり、心地よい状態であることのたとえ。

□永字八法――〔えいじはっぽう〕「永」の字は、書道に必要な側《そく》（点）、勒《ろく》（横画）、努《ど》（縦画）、趯《てき》（はね）、策《さく》（右上りの横画）、掠《りゃく》（左はらい）、啄《たく》（短い左はらい）、磔《たく》（右はらい）の八種の技法を含んでいるという意味。

□悪木盗泉――〔あくぼくとうせん〕悪い木の陰で休み、盗泉（孔子は、喉が渇いていても、その名を嫌い飲まなかったという）の水を飲めば、身が汚れるという教えから、苦しくても道理に背くことはするなというたとえ。また、不義、悪事に近づくなという意味も。

□一瀉千里――〔いっしゃせんり〕「瀉」は水が流れること。川の水が、たちまち千里の距離を流れ下ることから、物事が速く進むことのたとえ。話や文章が上手でよどみない状態にも使う。

□欣喜雀躍――〔きんきじゃくやく〕「欣喜」は、ひじょうに喜ぶこと、「雀躍」は、雀のように跳ね回ることで、雀が飛び跳ねるように小躍りして喜び、有頂天になること。

□緊褌一番――〔きんこんいちばん〕「緊褌」とはふんどしを固く締めることで、大事の前の決意・心構えを表す。気持ちを引き締め、十分な覚悟を決めて勝負に臨むこと。

□斎戒沐浴――〔さいかいもくよく〕節制し、心身を清めること。「斎」は酒や肉を断ち、心の汚れを清めること。「戒」は過ちを戒めること。「沐」は洗髪、「浴」は体を洗うことをいう。

□春風駘蕩――〔しゅんぷうたいとう〕春の風がのどかに吹くさまや、春風が素肌をなでて吹く心地よい風情《ふぜい》をいう。態度や性格がのんびりとしている温和な人柄に対して使われる。

□抜山蓋世――〔ばつざんがいせい〕勢いがあり、自信に満ちた気質のこと。漢の劉邦《りゅうほう》に包囲された楚《そ》の項羽《こうう》が、四面楚歌の中、虞美人と最後の酒宴を催した際、作った詩から。

特集2

日本語「使い分け」の法則

1 どう使い分けたらいいの？

越えると超える〈こえる〉

「越える」は特定の場所・位置を越えること。「山越え」「苦難を乗り越え」など。「超える」は一定の分量・範囲を超えること。「3万円を超える」「理解を超える」など。

測ると量る〈はかる〉

「測る」は距離、面積、角度などを数えるときに使う。「身長を測る」「庭の広さを測る」など。「量る」は容量、重量など量を数えるとき。「体重を量る」「容積を量る」など。

押さえると抑える〈おさえる〉

「押さえる」は物事が動かないように、ある部分に力を加えること。「机を押さえる」など。「抑える」は物事が程度を超えないようにすること。「怒りを抑える」など。

固いと堅い〈かたい〉

「固い」は強く、しっかりした様子を意味する。「固く辞退」「固い決心」など。「堅い」は、しっかりと詰まった様子。「堅い材質」「義理堅い」など。

移動と異動〈いどう〉

「移動」は人や物の位置が動くこと。「右へ移動する」「車を移動させる」など。「異動」は立場や地位、状態などが変わること。「人事異動」「株主が異動する」など。

放すと離す〈はなす〉

「放す」は自由な状態にすること。「悪漢を野に放す」「放して飼う」など。「離す」は物と物や人と人の間を広げること。「椅子と机を離す」「2人の仲を離す」など。

答えると応える〈こたえる〉

「答える」は、「試験に答える」など、問いに対して自分の意見などを表すときに用いる。「応える」は、「期待に応える」「友情に応える」など、反応するときに用いる。

探すと捜す〈さがす〉

「探す」は、「探究」「探検」などのように、自分の求める対象を見つけ出すこと。「捜す」は、「捜索」「捜査」などのように、見えなくなったものを見つけ出すこと。

競走と競争〈きょうそう〉

「競走」は、人間や車が走ることを競うもの。「運動会の１００メートル競走」など。「競争」は勝負・優劣を互いに競い争うこと。「企業間競争の激化」「生存競争」など。

交ざると混ざる〈まざる〉

「交ざる」は「松林に竹が交ざる」など、複数のものがそれぞれある状態。「混ざる」は「醤油と酒が混ざった味」など、複数のものがミックスされた状態。

開放と解放〈かいほう〉

「開放」は開け放つこと。制限を設けず、自由にすること。「学校を開放する」など。「解放」は束縛を解き、自由にすること。「人質を解放する」「圧政からの解放」など。

伯父と叔父〈おじ〉

「伯父」は父または母の兄。「叔父」は父または母の弟。「伯母・叔母」も同じように、伯母は父または母の姉、叔母は父または母の妹。「小父さん・小母さん」は他人に対して用いる語。

表と面〈おもて〉

「表」は二つある面のうち、目立つほう。正面や前面にくる側。「表玄関」「表座敷」など。「面」は顔や仮面、または表面。「面を上げる」「湖の面」など。

温かいと暖かい〈あたたかい〉
「温かい」は温度がほどよく快適な状態。「温かいお湯」など。また、「温かい人柄」など人格を表すときにも用いる。「暖かい」は「暖かい気候」など、気温について用いる語。

意思と意志〈いし〉
「意」は気持ちや考えのこと。「意思」は「意思表示」など、単なる思いや考えを指す。「意志」は「確固たる意志」など、意思よりも積極的で強い思いを指す。

追求と追究〈ついきゅう〉
「追求」は「時価総額最大化の追求」「幸福の追求」など、どこまでも対象を追い求めるの意。「追究」は「微生物の追究」「方程式の追究」など、学問・真理を尋ね究めるの意。

収めると納める〈おさめる〉
「収める」は結果として手に入れること。「成果を収める」「争いを収める」など。「納める」はあるべき場所に入れること。「税金を納める」「鞘に納める」など。

下りると降りる〈おりる〉
「下りる」は高い場所から低い場所へ移ること。「階段を下りる」など。「降りる」は乗り物などから外に出ること。または「登る」の反対。「車を降りる」「屋根から降りる」など。

生むと産む〈うむ〉

「生む」は、新しい何かが生じること。出産以外でも使う。「新記録を生む」「五月生まれ」など。「産む」は人や動物が出産すること。「産みの苦しみ」「犬が子を産む」など。

2 そういう違いがあったのか！

保証と保障〈ほしょう〉

「保証」は確かなことを責任をもって請け合うこと。「保証書つき」「最高の品と保証」など。「保障」は障害のないよう保つこと。「日米安全保障」「人権の保障」など。

共同と協同〈きょうどう〉

「共同」は二人以上が力を合わせること。「共同事業」「共同水道」など。「協同」は二人以上が共に心と力を合わせて助け合うこと。「生活協同組合」「産学協同」など。

交代と交替〈こうたい〉

「交代」は役目を別の人に入れ代えること。「投手交代」「世代交代」など。「交替」は同じ仕事を誰かが次々と入れ替わること。「交替勤務」など。

辞典と事典〈じてん〉

「辞典」の「辞」は言葉の意味で、「国語辞典」「英和辞典」のように、いろいろな言葉を集めた書物。「事典」は「百科事典」のように、いろいろな事柄を集めた書物。

収集と収拾〈しゅうしゅう〉

「収集」はあちこちから単純に取り集めること。「ゴミの収集」など。「収拾」は拾い収めるだけでなく、事態をとりまとめる意味も含む。「混乱の収拾」など。

形と型〈かた〉

「形」は「髪形」「凸凹した形」など、物の姿や恰好を表す。「型」には見本・手本、決まったやり方・大きさの意味があり、「血液型」「新型」「型どおり」などと用いる。

鑑賞と観賞〈かんしょう〉

「鑑賞」は芸術作品を楽しみ、味わうこと。「美術鑑賞」「映画鑑賞」「レコード鑑賞」など。「観賞」は自然を見て楽しむこと。「庭の観賞」「鳥類観賞」など。

備えると供える〈そなえる〉

「備える」は物事に必要な準備をととのえておくこと。「戦争に備える」「老後に備える」など。「供える」は「霊前に供える」のように、神仏に物を差し上げること。

張ると貼る〈はる〉

「張る」は小さくなっていたものをいっぱいに押し広げること。「網を張る」「帆を張る」など。「貼る」は「切手を貼る」「ポスターを貼る」のように薄いものをくっつけること。

受賞と授賞〈じゅしょう〉
「受賞」は賞を受けること。「芥川賞受賞作家」「レコード大賞受賞曲」など。「授賞」は賞を授けること。賞を授ける式典は「授賞式」となる。

既製と既成〈きせい〉
「既製」はできあいのもの。すでに商品として製造されているもの。「既製服」「既製品」など。「既成」はすでに成り立ち、世に出ていること。「既成概念」「既成事実」など。

犯すと侵す〈おかす〉
「犯す」は法律や規則、倫理などに違反すること。「法律を犯す」「過ちを犯す」など。「侵す」は入ってはならない他者の領域に侵入すること。「プライバシーを侵す」など。

清算と精算〈せいさん〉
「清算」はきれいさっぱり払ったり、始末すること。「借金の清算」「男女関係の清算」など。「精算」は金額を細かく計算すること。「料金の精算」「運賃精算」など。

対象と対照〈たいしょう〉
「対象」は、「愛の対象」「攻撃の対象」「対象は女性」など、目標を明確にしたときに使う。「対照」は、「対照実験」「対照的」など、比べ合わせるときに使う。

特徴と特長〈とくちょう〉

「特徴」は他と異なって特別に目立つ部分。「車体の特徴」「日本人の特徴」など。「特長」はとりわけ優れた長所。「彼の特長は卓抜した指導力だ」などと使う。

野生と野性〈やせい〉

「野生」は、動植物が自然に山野で生育すること。「野生の鹿」「花が野生する」など。「野性」は、自然のままの性質や粗野な性質。「彼は野性児だ」「野性味のない男」など。

異義と異議〈いぎ〉

「義」は意味。「議」は意見。「異義」は意味が異なることを指し、「同音異義語」など。「異議」は意見が異なることを差し、「異議を唱える」などと用いる。

過小と過少〈かしょう〉

「過小」は「過大」の反対で、小さすぎること。「過小評価」「過小な計画」など。「過少」は「過多」の反対で、少なすぎること。「過少申告」「過少な人口」など。

回顧と懐古〈かいこ〉

「回顧」は昔を思い出すこと。「顧」は過去を振り返るの意。「回顧録」など。「懐古」は昔を懐かしく思い出すこと。「懐」は懐かしむの意。「懐古趣味」など。

的確と適確〈てきかく〉

「的確」は、「的確な表現」「的確な認識」など、間違いがないの意。「適確」は「適確に命令していく」「適確に上場への道をつくる」など、最善の手段をとるの意。

器と機〈き〉

「器」は簡単な仕組みの専門の道具の意味。「食器」「湯沸器」「卓上計算器」など。「機」は複雑な仕組みの大きな道具の意味。「飛行機」「機械」「裁断機」など。

3 もうワンランク上の「使い分け」

実態と実体〈じったい〉

「実態」はありさま、実情を意味する。「フリーターの実態」「性意識の実態」など。「実体」は本当の姿、正体のこと。「彼の実体がつかめない」「実体のない会社」など。

好意と厚意〈こうい〉

「好意」は「彼に好意を抱く」「好意的な姿勢」など、好きな気持ちを意味する。「厚意」は「ご厚意を賜り」「ありがたき厚意」など、感謝をもって応えるべき思いやりを指す。

平行と並行〈へいこう〉

「平行」は同一平面上の直線が交わらないこと。「平行定規」「両国の主張は平行線のままだ」など。「並行」は並んで進行すること。「並行輸入」「仕事の同時並行処理」など。

景色と気色〈けしき〉

「景色」は風景、眺めのこと。「春の景

色」「情緒のある景色」など。「気色」は様子や機嫌のこと。「気色ばむ」「気色だつ」など。「気色（きしょく）悪い」という読み方も。

妨害と防害〈ぼうがい〉

「妨害」は、妨げたり邪魔すること。「走塁妨害」「営業妨害」など。「防害」は害を防ぐこと。「防害用の道具で危険を免れる」「防害知識があれば大丈夫」など。

陰と蔭〈かげ〉

「陰」は「陽」の反対であり、物の裏側。「山の陰」「陰口」など。「蔭」は草木に遮られ、日の当たらない場所。また庇護の意味もあり、「お蔭様」などに用いる。

合わせると併せる〈あわせる〉

「合わせる」は二つ以上のものを、ぴったり一緒にすること。「割れ目を合わせる」など。「併せる」は二つ以上のものを調和させること。「ネクタイを服に併せる」など。

招集と召集〈しょうしゅう〉

「招集」は「株主総会の招集」「社内会議の招集」など、一定の規則に従って人を集めること。「召集」は「軍人の召集」など、上級の者が下級の者をなかば強制的に集めること。国会は「召集」を使う。

容量と用量〈ようりょう〉

「容量」は器の中に入れることのできる量。「コップの容量が足りず、水がこぼれた」など。「用量」は使用する量。とくに「薬一回あたりの用量」など、薬に用いる。

技と業〈わざ〉

「技」は技術や理論を必要とする方法のこと。「相撲の技」「家事の技」など。「業」は行為や仕事のこと。「人間業ではない」「軽業」など。

回答と解答〈かいとう〉

「回答」は質問などに答えること。返事すること。「回」は返るの意。「アンケートへの回答」など。「解答」は問題を解いて答えること。「クイズの解答」など。

起こすと興す〈おこす〉

「起こす」は横になっているものを立ち上がらせること。新しく始めること。「ベッドから起こす」「新会社を起こす」など。「興す」は盛んにすること。「産業を興す」など。

進入と侵入〈しんにゅう〉

「進入」は「列車の進入」や「進入禁止」のように、進んで入ること。「侵入」は「空き巣が侵入」「不法侵入」のように、無理に入ること。悪い意味でよく用いる。

勧めると薦める〈すすめる〉

「勧める」は、「加入を勧める」「東京行きを勧める」など、勧誘の意味が強いときに使う。「薦める」は「本を薦める」「会長就任を薦める」など、推薦の意味を持つとき使う。

更生と更正〈こうせい〉

「更生」はあらためて生かすこと。生き返ること。「会社更生法」「自力更生」「非行からの更生」など。「更正」はあらため正すこと。「更正決定」「更正登記」など。

体型と体形〈たいけい〉

「体型」は、体のタイプのこと。「肥満体型」「標準体型」など。「体形」は体のフォームのこと。「崩れた体形」「体形を維持」など。

片寄ると偏る〈かたよる〉

「片寄る」は中心から外れて一方に寄ること。「船が右に片寄る」「人口が首都に片寄る」など。「偏る」は不公平、不公正になること。「偏った思考」「栄養の偏り」など。

荒いと粗い〈あらい〉

「荒い」は勢いが激しい様。「鼻息が荒い」「波が荒い」など。「粗い」は大ざっぱな様。ざらざらしている様。「彼は仕事が粗い」「粒の粗い岩塩」などと用いる。

4　ちょっとややこしい「使い分け」

包容と抱擁〈ほうよう〉

「包容」は包み入れること。人を寛大に受け入れること。「包容力のある人物」など。「抱擁」は抱きかかえること。「男女の抱擁」「わが子を抱擁する」など。

漬けると浸ける〈つける〉

「漬ける」は本来は水に入れるの意味だが、いまは「野菜を漬ける」と漬物用に使うことがほとんど。「浸ける」は「食器を水に浸ける」のように、物をたっぷり水の中に入れるの意。

所要と所用〈しょよう〉

「所要」は必要なこと。「所要時間」「所要経費」など。「所用」は用事、用向きのこと。「所用のため欠席」「所用で出掛ける」など。

回復と快復〈かいふく〉

「回復」は一度悪くなったものが、元の状態に戻ること。「回」は戻るの意。「景気が回復する」など。「快復」は病気やケガが治ること。「ご快復をお祈りします」など。

遅れると後れる〈おくれる〉

「遅れる」は決まった時間・時期に間に合わないこと。「約束に遅れる」など。「後れる」は時代や他人のペースについていけないこと。「流行に後れる」「勉強が後れる」など。

油と脂〈あぶら〉

「油」は常温で液体状のもの。「サラダ油」など。「脂」は常温で固体のもの。「肉の脂身」「脂ぎった肌」など。「彼はいま脂がのっている」など、成熟を表す際にも用いる。

同士と同志〈どうし〉

「同士」は仲間のこと。「囲碁好き同士」「同じ世代同士」など。「同志」は志を同じくする仲間で、「同士」より絆が深い。「会社改革の同志」「倒幕派の同志」など。

魚介類と魚貝類〈ぎょかいるい〉

「魚介類」は、魚、貝類などのこと。「介」には甲羅の意味もあり、エビ、カニ類も含む。「魚貝類」は「魚介類」から出た言葉だが、エビ、カニ類を含まない魚、貝類。

写すと映す〈うつす〉

「写す」は絵や文字などを真似て、同じように書くこと。そっくりに表すこと。「ノートを写す」など。「映す」は光を使い、ある物の姿を再現すること。「鏡に映す」など。

符号と符合〈ふごう〉

「符号」は、「数学の符号」「地理の符号」などと印の意味。「符合」は二つ以上の物事が合致すること。「犯人の指紋と符合する」「彼の行動と符合する彼女の行動」など。

勤めると務める〈つとめる〉

「勤める」は、「会社に勤める」「役所に勤める」など、日常的な仕事に用いる。「務める」は「主役を務める」「会長を務める」など、ある任務、役目を受け持つ際に用いる。

止まると留まる〈とまる〉

「止まる」は、事物の動きが停止すること。「噴火が止まる」「プロペラが止まる」など。「留まる」は止まったその場から動かないというニュアンス。「目に留まる」など。

家業と稼業〈かぎょう〉

「家業」はその家の生計の基礎となっている仕事。その家代々に伝わる仕事。「家業を継ぐ」など。「稼業」は生計を成り立たせている職業。「文筆稼業」など。

復元と復原〈ふくげん〉

「復元」は他の力を借りて元の状態に戻すこと。「町家の復元」「天守閣の復元」など。「復原」は自らの力で原形・原状に戻ること。「船の復原力」「自然が復原する」など。

解けると溶ける〈とける〉

「解ける」は、「帯が解ける」「誤解が解ける」など結んでいたものがほぐれたり、心がさっぱりすること。「溶ける」は「水に溶ける」など固体が液体に混ざり、同化すること。

露天と露店〈ろてん〉

「露天」は「露天風呂」「露天で夜を過ごす」など、屋根のないところを指す。「露店」は「露店市」「露店が立ち並ぶ」など、露天の道端で物品を売っている店。

興行と興業〈こうぎょう〉
「興行」の「興」は楽しみの意で、見せ物などを行うこと。「プロレス興行」など。「興業」の「興」は始める意で、事業を新たに起こすこと。「殖産興業」など。

必死と必至〈ひっし〉
「必死」は必ず死ぬこと。死を覚悟すること。「必死の抵抗」「敵は必死だ」など。「必至」は必ずそうなること。「倒産は必至だ」「両雄の激突は必至」など。

5　いつか役に立つ「使い分け」

公訴と控訴〈こうそ〉
「公訴」は刑事事件で検察官が起訴状を提出して、裁判所の審理を求めること。「控訴」は第一審の判決が不服のとき、さらに上級の裁判所に裁判のやり直しを訴えること。

体制と態勢〈たいせい〉
「体制」は長期にわたる社会様式、制度のこと。「資本主義体制」「自由な体制」など。「態勢」は物事に対するかまえのこと。「受け入れ態勢」「就職試験への態勢」など。

採決と裁決〈さいけつ〉
「採決」は議長がメンバーに議案の可否を問うて、採否を決定すること。「国会の採決」など。「裁決」は裁判所や行政が、法律上の裁きをすること。「裁判所の裁決」など。

顧みると省みる〈かえりみる〉

「顧みる」は振り返って見ること。心配すること。「後ろを顧みる」「歴史を顧みる」「妻を顧みる」など。「省みる」は自分についてよく考えること。「自らを省みる」など。

群集と群衆〈ぐんしゅう〉

「群集」は群がり集まる現象を指す。「広場に人が群集する」「群集心理」など。「群衆」は群がり集まった人々のこと。「群衆が押し寄せる」など。

解任と改任〈かいにん〉

「解任」は任務を解いて、辞めさせること。「会長職を解任する」など。「改任」は前任者を辞めさせ、後任者を代わりに就かせること。「役員の改任を行った」など。

徴収と徴集〈ちょうしゅう〉

「徴収」は、「税金の徴収」「会費の徴収」など、金銭を集めるの意。「徴集」は、「人員徴集」「物品の徴集」など、金銭以外の人・物などを集めるの意。

増えると殖える〈ふえる〉

「増える」は、他からの数が加わって増すこと。「労働者が増える」「水かさが増える」など。「殖える」は自らの力で多くなること。「利息が殖える」「ハエが殖える」など。

決戦と決選〈けっせん〉
「決戦」は勝敗を決める、重要な戦い。「最後の決戦」「短期決戦」「決戦を回避する」など。「決選」は選挙をくぐり抜けた者から、さらに選挙すること。「決選投票」など。

初戦と緒戦〈しょせん〉
「初戦」は最初の戦いのこと。「甲子園初戦敗退」「初戦にすべてを賭ける」など。「緒戦」は一つの戦争・試合の始まったばかりの戦い。「まだ緒戦で、試合勘が鈍い」など。

黙礼と目礼〈もくれい〉
「黙礼」は黙ってお辞儀をすること。「国旗に黙礼する」「黙礼してから話す」など。「目礼」は目で簡単な挨拶、会釈をすること。「すれ違った知人と目礼を交わす」など。

連破と連覇〈れんぱ〉
「連破」は相手を続けて負かすこと。「初戦から強敵を２連破したのち敗れる」など。「連覇」は続けて優勝すること。「甲子園２連覇」「連覇のかかった決勝戦」。

規制と規正〈きせい〉
「規制」はこれ以上してはいけないと制限すること。「交通規制」「規制緩和」など。「規正」は悪い点を正すこと。「政治資金のあり方を規正」「間違った方向を規正」など。

Step 6

教養が試される国語の常識

1 日本人なら知っておきたい「季節」の言葉

□**若水**（わかみず）……元日の朝に、初めて汲む水のこと。この水を飲んだり、料理に使って、体内に入れると、一年の邪気が除かれると言われる。

□**寒の雨**（かんのあめ）……寒中（1月4日ごろから2月4日ごろまで）に降る冷たい雨。とくに寒に入って9日目の雨を「寒九《かんく》の雨」と言う。寒の間にひと雨降るごとに、しだいに暖かくなる。

□**女正月**（おんなしょうがつ）……正月15日を指す。女性は新年の初め、自宅で来客の応対など何かと忙しいが、この時期になると落ち着き、年始などにも出掛けられるところから。

□**寒の戻り**（かんのもどり）……晩春のころ、一時的に冬を思わせるような異常な寒さがぶり返す現象。「寒帰り」ともいう。「今朝は寒くて、冬のコートで出掛けた。寒の戻りだね」などと用いる。

□**啓蟄**（けいちつ）……地中で冬ごもりしていた虫やヘビが、暖かくなり、地面に這い出てくる時季を指す。3月6日ごろ。「蟄」は虫が地面にもぐること。

□**木の芽時**（このめどき）……木々に新芽が生えだす、早春のこと。「木の芽時になると、うつ状態になる人が増える」などと用いる。

□**種まき桜**（たねまきざくら）……苗代に種をまく時期を知るため、目印として植えた桜のこと。東北地方ではこの時期にコブシの花が咲くことから、コブシの花の別名でもある。

□**菜種梅雨**（なたねづゆ）……3月下旬から4月上旬にかけて降る春の長雨。菜の花が盛りのころに降ることから、この名がついた。本州南岸に停滞する前線により、関東以西の太平洋岸で降る。

□**花曇**（はなぐもり）……桜の咲くころ、空が薄く曇り、温かくどんよりとした天候になること。ときに霧や雨も伴う。満開に咲いた桜の花が、遠くからは霞がかかったように淡く見える状態も指す。

□**花冷え**（はなびえ）……4月、桜の咲くころになって、底冷えのするような寒さが戻ってくること。または、その寒さ。「花冷えの中の花見となった」などと用いる。

□**山笑う**（やまわらう）……早春、山の木々が芽吹きはじめたころ、華やかになった山の姿が、笑っているように見える様。冬はひっそりとして「山眠る」だったものが、一転、明るくなる様。

□**忘れ雪**（わすれゆき）……その冬の最後に降る雪。「雪」とつくが、春の季語。「雪の果て」とも「雪の別れ」とも言う。「もう春だと思っていたのに雪か。これが忘れ雪かもしれないね」などと用いる。「なごり雪」と同じ意味。

□**青嵐**（あおあらし）……5～6月、青葉の繁るころに吹く、やや強いが、さわやかな風のこと。雨を伴なわず、青葉を揺さぶるような風。「せいらん」とも読む。

□**青梅雨**（あおつゆ）……新緑に降る梅雨のこと。青葉が雨に濡れると、その色がさらに濃くなったように見えることから。

□**卯の花くたし**（うのはなくたし）……「卯の花」は落葉低木のウツギのことで、梅雨のころに花をつける。「くたし」は腐らせること。卯の花を腐らせる長雨、つまりは五月雨《さみだれ》のこと。また、この時期の曇天は「卯の花ぐもり」と言う。

□**五月闇**（さつきやみ）……「五月雨」は陰暦5月ごろに降る長雨で、梅雨のこと。五月雨が降るころ、昼は曇っていて暗く、夜も闇が深いことを指す。

□**虎が雨**（とらがあめ）……陰暦5月28日に降る雨。『曾我物語』の曾我十郎はこの日、父の仇討ちを果たすものの討ち死にする。十郎の愛人である遊女・虎御前の涙雨ということから、この名がついた。

□**送り梅雨**（おくりづゆ）……梅雨が明けるころになって、急に強い雨が降る気候のこと。梅雨を追い払うほどの強い雨ということから、この名がついた。

□**白南風**（しらはえ）……梅雨明けのころ、夏の太陽が照りつけるなか吹く、南風のこと。また、梅雨時、どんよりとした曇り空に吹く南風を「黒南風《くろはえ》」、強い雨とともに吹く南風を「荒南風」と言う。

□**短夜**（たんや）……夏の短い夜のこと。昼がもっとも長くなる夏至《げし》（6月22日ごろ）前後、こうした短い夜の日々が続く。夏の季語。「明早し」「明易し」「明急ぐ」なども同じ意味。

□**初月**（はつづき）……陰暦の月初め、日没時に西の空に見える月。とくに陰暦8月初めに見える月のことを言う。秋の季語。

□**十六夜**（いざよい）……「十六夜の月」の略。陰暦16日夜の月、とくに陰暦8月16日夜の月。十五夜の満月に比べ、少し形がやせ、少し時刻が遅く、いざよう（ためらう）ように出てくることから。

□**立待月**（たちまちづき）……陰暦17日夜の月のこと。とくに陰暦8月17日の月を指し、秋の季語。この夜の月の出は早く、出るのを立って待っていても平気だったことから。

□**名残の月**（なごりのつき）……一年のうちで、最後に見られる名月のことで、具体的には陰暦9月13日夜の月を指す。また季節と関係なく、夜明けの空に残った月にも用いる。「残月」と同じ意味。

□**細雪**（ささめゆき）……こまかに降る雪、あるいは、まばらに降る雪のこと。粉雪。谷崎潤一郎の小説の題名として有名。

□**数え日**（かぞえび）……年末、指で数えられるぐらい、一年の残り日が少なくなったころ。年末、大きな支払いのある、書き入れどきの日々というニュアンスもある。

□**大つごもり**（おおつごもり）……漢字で書けば大晦日で大みそかのこと。陰暦では月末に空の月が消えるところから、月末を月がこもる（隠れる）という意味で「つごもり」と呼び、さらに一年の終わりには「大」をつけて、こう呼んだ。

2 モノを正しく数えられますか

□**イカ・タコ**……海中にいるときは「匹」、食材となったときは「杯《はい》」で数える。イカもタコも丸みを帯びた器のような形をしているところから、器を数える「杯」と同じ数え方となった。

□**ウサギ**……「一羽、二羽」と数える。ウサギの耳が鳥の羽に似ている、あるいはウサギの肉が鳥肉に近い味がするところから。最近は「匹」を使うこともある。

□**鏡餅**……餅は「枚」で数えるが、鏡餅は「重ね」か「据わり」で数える。重ねられているから「一重ね、二重ね」、または据えられているから「一据わり、二据わり」となった。

□**琴**……「張《は》り」か「張《ちょう》」で数える。弦を「張った」楽器ということから、「張」の字を使う。最近は和楽器の数え方である、「面」を使うこともある。

□**三味線**……「棹《さお》」か「挺《ちょう》」で数える。三味線の柄の部分を「棹」と呼ぶところから「一棹、二棹」、あるいは棹が細長いところから、細長いものを数える「一挺、二挺」となる。

□**算盤**……「台」か「面」で数える。あるいは、細長いところから「挺」でも数える。算盤の珠は、「珠」か「個」で数える。

□**箪笥**……「棹《さお》」か「竿《さお》」で数える。その昔、箪笥を竿で担ぎ移動させたことから。現在は「台」「組」「点」でも数える。

□**提灯**……「張り」または「張」で数える。紙を張った照明具であるところから。あるいは手に持つ道具であるところから、「挺」でも数える。

□**豆腐**……「丁」が基本。「丁」は、豆腐以外でも、切り出した食品を数えるときに用いる。いまは、「パック」でも数える。

□**握りずし**……「一貫」「二貫」と数える。すし店では二貫で一注文が常識とされる。かつては「一個」「二個」と数えていたが、「個」の字を「カ」と読み、これに「ン」

がついたとみられる。

□**仏像**……「体」で数える。彫刻は一般的には「点」で数えるが、仏像は人間の形をしているため「一体、二体」となる。古くは「尊」でも数えた。

□**船**……タンカーや軍艦、客船などの大型船は「隻」、ヨットなどの小型船は「艘」で数える。また競技用のボートやヨットは、「艇」で数える。

□**俎**《まないた》……魚を調理する板であることから、「一板、二板」と数える。あるいは包丁と一緒に使う調理器具であることから、「丁」でも数える。

□**羊羹**……切る前の状態は「棹」で数える。棹は細長い形のものの数え方で、羊羹は切る前は細長い形をしているところから。「本」でも数える。切ったあとは「個」「切れ」となる。

□**和歌・俳句**……和歌は「一首、二首」と「首」で数え、俳句は「一句、二句」と「句」で数える。ただし、和歌のひと区切り（5文字または7文字）は「句」で数える。

3 部首の名前を覚えていますか

□**欠**（あくび）……欠、次、欧、欣、盗、欲、飲、款、欺、欽、歌、歓など。

□**頁**（おおがい）……頁、頂、項、須、順、頑、頓、頒、碩、頗、領、頬、額など。

□**斤**（おのづくり）……斤、斥、折、所、斧、斬、断、斯、新など。

□**貝**（かい、かいへん）……貝、貢、財、貪、貧、貫、貸、貯、貶、賄、賂、賑など。

□**冂**（けいがまえ、まきがまえ）……内、冊、冉、再、周、岡など。

□**彡**（さんづくり）……形、参、彦、修、彩、彫、彪、澎、彰、影など。

□**尸**（しかばね）……尺、尻、局、尿、屁、展、屏、屍、屑、属、層、履など。

□月（にくづき）……肌、肋、肝、肚、肺、肴、肪、胸、脱、腎、腹、腰、腺、臀など。

□儿（にんにょう）……允、元、兄、光、兆、克、児、兌、兎、免、党、兜、競など。

□禾（のぎへん）……私、和、季、科、秤、稀、税、種、稽、稿、積、穫など。

□卩（ふしづくり）……卮、卯、叩、印、危、却、即、卵、卸、卿など。

□隹（ふるとり）……隼、雁、集、雇、雄、雅、雌、雉、雍、雑、霍、雛、難、離など。

□攵（ぼくにょう）……改、攻、政、牧、放、故、敏、救、教、赦、敗、敢、敷など。

□殳（るまた、ほこづくり）……殴、段、殷、殺、殻、設、殿、毅など。

□刂（りっとう）……刈、判、削、剃、刺、剥、割、剽など。

□灬（れっか、れんが）……烈、焉、庶、煮、焦、然など。

4 色の名前を思い出せますか

□**鶯**（うぐいす）**色**……ウグイスの背が、緑に黒茶色が混じったような色をしているところから、それによく似た褐色がかかった黄緑色を指す。「鶯茶」ともいう。

□**茜**（あかね）**色**……沈んだ黄赤色。アカネの根で染めた色のこと。アカネは「赤根」とも記すように、根に赤色系の成分がある。その成分はアリザリン。

□**萌黄**（もえぎ）**色**……やや黄みをおびた緑色。「萌葱」とも書き、葱（ネギ）の萌え出る色を想像させるところから、この名がついた。

□**山吹**（やまぶき）**色**……やや赤みのある黄色。山吹の花が鮮やかな黄色をしているところから、黄金色のような黄色にこの名がついた。「山吹色の大判」など、大判や小判の色を表すときによく用いる。

□**浅葱**（あさぎ）**色**……緑と青の中間の薄い青緑色。浅葱とは薄いネギの葉のことだが、実際にはネギの色とは少し違う。「浅黄色」とも書く。

□**辰砂**（しんしゃ）……深い紅色、あるいは褐赤色。硫化水銀鉱からつくられた、朱の顔料の名でもある。中国の辰州産のものが高名なことから、この名がついた。

□**鬱金**（うこん）**色**……濃い黄色。ウコンはショウガ科の植物のことで、カレーの原料の一つ、ターメリックのこと。ウコンの根茎から、濃い黄色の染料をつくる。

□**御納戸**（おなんど）**色**……緑色や灰色を帯びた藍色。江戸城内の納戸の垂れ幕や風呂敷に使われた藍染の一種。江戸後期に流行した。「納戸色」とも言う。

□**鈍**（にび）**色**……濃いネズミ色。薄くすった墨に、黒褐色のタデ科のアイをさして染めた色。かつては喪服や、出家した人の衣に用いられた。

□**烏の濡れ羽**（からすのぬればば）**色**……水に濡れたカラスの羽のように、ふつうの黒色よりさらに黒く、艶のある黒色。「烏の濡れ羽色のような髪」というように、美しい黒髪を讃えるときによく用いる。

□**銀鼠**（ぎんねず、ぎんねずみ）……ねずみの毛色のような淡い黒色が銀がかったもの。銀色を帯びた、淡い黒色。英語でいうシルバーグレーにあたる。

□**濃紫**（こむらさき）……深い小豆色を帯びた紫色。平安時代には、３位以上の位の色であり、高貴な色だった。「黒紫《ふかむらさき》」とも言う。「こいむらさき」と読まないように。

□**古代紫**（こだいむらさき）……薄い赤みを帯びた、くすんだ紫色。藍色の勝った江戸紫や赤みのある京紫とは違う、日本古来の紫色。

□**鴇**（とき）**色**……薄い桃色。あるいは薄い紅色。特別天然記念物の鳥であるトキの羽の内側や風切り羽によく似た色であるところから。

5 日本文学のタイトルを読めますか

□**日本霊異記**（にほんりょういき）……景戒撰述の日本初の仏教説話集。正式名は『日本国現報善悪霊異記』。平安前期に成立。聖徳太子や行基、聖武天皇らが登場し、無名の人の善行も記した116の話から成立。民衆相手の説教の題材とされ、のちの『今昔《こんじゃく》物語』に影響を与えている。

□**蜻蛉日記**（かげろうにっき）……歌人・藤原道綱母の日記文学。平安中期。のちの太政大臣・藤原兼家に求婚された著者は結婚するものの、兼家は愛人の元へ。兼家との間の息子・道綱の成長をよりどころに、人生に諦観していく。女性筆者による日本最初の日記文学。

□**更級日記**（さらしなにっき）……菅原孝標女《たかすえのむすめ》の日記文学。平安後期の成立。少女時代、『源氏物語』に憧れるものの、乳母や姉との死別、母の出家などを経て、ままならぬ宮仕えに幻滅する。やがて子育てに生き甲斐を見い出すも、夫をなくし、孤独のなかに信仰の道へ進んだ女の一生の物語。

□**梁塵秘抄**（りょうじんひしょう）……後白河法皇撰の歌謡集。平安時代後期に成立とみられる。定型にとらわれない世俗の口ずさみ歌謡を集めた。平安後期の武士や農夫、物売り、山伏など、さまざまな人たちの心情が歌われている。全20巻。

□**小倉百人一首**（おぐらひゃくにんいっしゅ）……鎌倉初期の歌集で、『明月記』でも知られる歌人・藤原定家の撰。天智天皇、持統天皇など、古代から鎌倉初期まで100人の歌人から、それぞれ1首ずつを選び出している。恋の歌が多い。室町以降は歌がるたとして親しまれ、現代も人気。

□**宇治拾遺物語**（うじしゅういものがたり）……鎌倉時代初期の説話集で、作者は不明。日本だけでなく、中国、インドからも珍しい話、おかしな話などが集められている。「舌切り雀」や「こぶ取りじいさん」のルーツとなる話も収録。当時としては画期的な、ひらがな主体の和文体で構成されている。

□**歎異抄**（たんにしょう）……浄土真宗の祖・親鸞の法話集。唯円編述。鎌倉時代中期の成立。「善人なをもて往生をとぐ、いわんや悪人をや」という悪人正機説や他力本願など、親鸞の思想を端的に表す。真宗教団の中で異端の発生があったため、真の信心を確立するため、まとめられた。

□**十訓抄**（じっきんしょう）……湯浅宗業の作といわれるが、橘成季、菅原為長説もある。鎌倉時代、1252年（建長4）成立の説話集。子どもの教育用に、10項目の通俗的教訓を挙げ、それぞれにちなむ成功話、失敗話を日本、中国、インドから集めたもの。280余話ある。

□**徒然草**（つれづれぐさ）……吉田兼好の随筆。鎌倉時代、1317〜31年（文保1〜元弘1）に成立。世の無常を感じて出家した著者が、世の人間臭いさまざまな人間模様などを書き留め、そこに人生論や処世術の色合いも込められた作品。

□**神皇正統記**（じんのうしょうとうき）……北畠親房《ちかふさ》による歴史書。南北朝時代、1339年（延元4）執筆、1343年（興国4）修訂。神代から後村上天皇の即位までの天皇の歴史を述べ、天皇の絶対的権威を説くとともに、自らの支える南朝の正当性を強調。後世の『大日本史』などにも強い影響を与える。

□**花伝書**（かでんしょ）……『風姿花伝』の通称。能役者で能作者でもあった世阿弥元《ぜあみ》清による能楽論。室町時代初期の成立だが、一子相伝の書だったため、1909年、吉田東伍により初めて公にされた。「秘すれば花なり、秘せずば花なるべからず」という言葉に、この書の要諦《ようてい》がある。

□**国性爺合戦**（こくせんやかっせん）……近松門左衛門作の人形浄瑠璃。1715年（正徳5）竹本座で初演。中国の明・清の抗争時代、明の復興を求めた鄭成功を主人公に、和藤内（のちの国性爺）一族の活躍を雄大なスケールで描く。鄭成功は、日本人を母にもつ日中のハーフ。

□**雨月物語**（うげつものがたり）……上田秋成《あきなり》作の読本。江戸時代、1776年（安永5）刊行。日本の古典や中国の小説などのエッセンスをちりばめながら描いた、幻想的な九つの短編から成る。妻の亡霊と交わる夫の話や食人鬼となる僧侶の話など、怪奇譚から人間の業《ごう》を描いている。

□**東海道中膝栗毛**（とうかいどうちゅうひざくりげ）……十返舎一九作の滑稽本。1802～9年（享和2～文化6）刊行。江戸の住人・弥次郎兵衛と喜多八による、おかしな旅の道中記。当初は東海道の旅だったが、あまりの人気に続編として、金毘羅詣、宮島詣などが『浮世道中膝栗毛』として出版された。

□**南総里見八犬伝**（なんそうさとみはっけんでん）……曲亭馬琴の長編伝奇小説。1814～43年（文化11～天保14）まで28年の歳月を経て完成。安房《あわ》城主・里見義実の娘・伏姫が飼い犬・八房《やつふさ》の子を身ごもり、そこから八つの玉が飛び散る。これがやがて犬の字を姓にもつ八犬士となり、彼らが里見家を救う物語。

□**蘭学事始**（らんがくことはじめ）……杉田玄白による懐古録。もとは『蘭東事始』として1815年（文化12）に出たものが、明治初期にこの名で刊行。オランダ語で書かれた解剖学の書『ターヘル・アナトミア』を『解体新書』として訳していく過程を中心に、江戸の蘭学勃興期のありさまを描く。

□**春色梅児譽美**（しゅんしょくうめごよみ）……為永《ためなが》春水の人情本。1832～33（天保3～4）刊行。江戸下町を舞台に、遊女屋を乗っ取られた男を巡って、3人の女性が複雑な恋愛感情を抱きつつも、女の意地を見せていく。天保の改革で風紀粛清の対象となり、作者は手鎖の刑に。風俗小説の先駆けといえる作品。

□**安愚楽鍋**（あぐらなべ）……仮名垣魯文《かながきろぶん》による戯作。1871（明治4）から72年（同5）にかけての出版。「牛店雑談」とサブタイトルがあるように、牛鍋屋の座敷であぐらをかいて牛肉鍋をつついている庶民の姿を描写。当時は文明開化の時代といわれ、牛肉鍋はそのシンボルだった。

□**高野聖**（こうやひじり）……泉鏡花作の中編小説。1900年（明治33）発表。旅の修行僧が美女の住む山小屋に迷い込み、そこで美女の妖艶さに惑わされそうになるが、一心不乱に経を唱えると、美女はじつは妖怪の類だったとわかる。明治浪漫主義の最高峰とされる作品。

□**檸檬**（れもん）……梶井基次郎の短編小説。1925年（大正14）発表。不安に脅かされた私は、ふと寺町の果物屋のレモンを手にとり、京都の町をぶらつく。そして丸善の棚にレモンを置いて去り、そこから夢想を広げる。発表当時は話題にならなかったが、のちに高い評価を受けた作品。

□**春琴抄**（しゅんきんしょう）……谷崎潤一郎の小説。1933年（昭和8）発表。大阪道修町の商家の丁稚・佐助は、主家の失明した娘・春琴に深い愛情を捧げる。春琴が何者かに熱湯を浴びせられ醜い姿となったとき、自らは針で目を突き、盲目となる。谷崎の女性への憧憬と耽美を描いた作品。

□**蒼氓**（そうぼう）……石川達三の小説。1935年（昭和10）発表。第1回芥川賞受賞作。故郷を捨てた農夫たちが新天地ブラジルに移住するため、神戸港に集まる。貧しい暮らしの中に希望を見いだそうする日本人の群像を描いた作品。「蒼氓」は人民、国民の意。

□**楢山節考**（ならやまぶしこう）……深沢七郎の文壇デビュー小説。1956年（昭和31）発表。日本各地の姥捨《うばすて》伝説をもとにした作品。信州に住む69歳のおりんは、これ以上生きることを恥とし、孝行息子に背負われて楢山に行き、そこで往生のための念仏を唱える。

6 知っているようで知らない「料理」の言葉

□**粗熱《あらねつ》を取る**――火を通した材料を、水などにつけて急速に冷やすのではなく、放置しておいて、湯気がおさまるくらいまで自然に冷やすこと。

□**板摺《いたず》り**――キュウリやフキなどの色をよくするため、まな板の上に置いて塩を振り、手で軽く押さえて転がすこと。

□**差水《さしみず》**――麺類や豆などを茹でているとき、途中で水を加えること。沸騰をいったんしずめることで、材料の表面が引き締まり、中まで火が通りやすくなる。「びっくり水」とも言う。

□**面取り**――大根や芋などを煮るとき、切り口の角を包丁で薄く削り取ること。煮崩れ防止になる。

□**油通し**――中国料理での下ごしらえ。野菜や肉などを炒めたり煮たりする前に、サッと油で揚げておくこと。野菜が色鮮やかになったり、肉がやわらかく仕上がる効果がある。

□**落とし蓋《ぶた》**——鍋よりひと回り小さい蓋のことで、煮物をつくるとき、鍋の中の材料の上に置く。そうすると、煮汁が全体に行き渡り、また、沸騰によって材料が浮き上がるのを防げるので形が崩れない。料理学校で初めてこの言葉を聞いた人が、「落とし豚」と思って豚肉を入れたという笑い話もある。

□**湯むき**——材料をいったん熱湯にくぐらせたのち、皮をむくこと。こうすると、皮がむきやすくなる。トマトの湯むきがよく知られる。

□**石づき**——シイタケ、シメジなど、キノコ類の軸の根元にある硬い部分のこと。

□**追い鰹《がつお》**——野菜や乾物の煮物をつくるとき、醬油などで調味したかつお節の出し汁で材料を少し煮たあと、かつお節をさらに加えること。たいていは、かつお節をガーゼなどにくるんで入れる。

□**甘塩《あまじお》**――「淡塩」「薄塩」とも言う。肉や魚などに塩を薄く含ませること。塩味の薄いことも言う。甘い塩があるわけではない。

□**隠し包丁**――材料の裏側に包丁で切れ目を入れること。材料に火が早く通るようにしたり、味をしみ込みやすくするのが目的。

□**すが立つ**――大根やゴボウなどを長く放置したため、内部に隙間や穴ができること。あるいは、豆腐や茶碗蒸しなどを加熱しすぎて、内部に穴ができること。漢字で書くと「鬆が立つ」で、骨粗鬆症《こつそしょう》の「鬆」と同じ漢字。

□**三枚おろし**――魚のおろし方の一つで最も基本的なもの。包丁を中骨の両側に入れて、2枚の身と中骨部分の3枚に分けること。

□**手開き**――魚の身の開き方の一つ。包丁を使わず、親指の先を中骨に沿わせるようにして、身を開く方法。イワシなど、身がやわらかく小骨の多い魚によく使う。

□**縞目《しまめ》にむく**――キュウリやカボチャなど、表面の色が濃い野菜の皮をむくとき、ところどころ皮を残してむくこと。縞模様のコントラストが美しく見える。

□**手綱《たづな》切り**――コンニャクやカマボコの切り方の一つ。薄切りにしたコンニャクなどの中央に切れ目を入れて、そこに片端をくぐらせる。

□**茶巾《ちゃきん》絞り**――芋、カボチャ、ゆり根を煮てすりつぶしたものや、魚のすり身などを布巾に包んで絞り、絞り目をつけた食べ物。

□**煮切る**――みりんや酒を煮立てて、アルコール分を蒸発させてしまうこと。アルコール分は加熱するとクセが出ることがあるので、風味をよくするために行う。

□**ひたひたの水**――鍋で材料を煮るとき、平らにならした材料の上部が見え隠れするくらいの水加減。材料に水がかぶる状態よりも、やや少なめの水量。

□**みぞれあえ**――魚介類やキノコ類などを調理し、あえ衣として大根おろしを加えてあえたもの。「おろしあえ」とも言う。大根おろしが霙《みぞれ》のように見えるところから、この名がついた。

□**西京焼《さいきょうや》き**——西京味噌に漬けた白身魚を用いた焼魚料理。西京味噌は、おもに京都でつくられる米麹を多く使った甘味の強い白味噌。

□**具足煮《ぐそくに》**——エビやカニを殻付きのままブツ切りにして、さっと煮た料理。殻を具足（武士の防具）に見立てたネーミング。殻付きのため、うま味を閉じ込めることができる。

□**化粧塩**——アユやタイなどを姿焼きするとき、直前に塩を振りかけること。とくにヒレや尾の部分に多めに振ると、焦げるのを防げ、焼き上がりが美しくなる。

□**ひとつまみ**——親指、人さし指、中指の先でつまんだ程度の量。塩ならおよそ1グラムに相当する。

□**白髪《しらが》ねぎ**——長ネギの白い部分を繊維に沿って、細く線切りにしたもの。一度、水にさらしたのち、水を切って料理の付け合わせなどに使う。

□**すましバター**——溶かしたバターの上澄みのこと。

□**含め煮**——やや薄味の煮汁を材料にたっぷり含ませるように、やわらかく煮ること。

□**血合い**——魚の肉のうち、黒ずんだ赤みを帯びた部分のこと。背骨の周辺に多い。

□**もどし汁**——干しシイタケや切り干し大根などの乾物類を、やわらかくするために浸していた湯や水のこと。

□**割り醬油**——酒やみりん、出し汁、水などを加えて薄めた醬油のこと。

□**呼び塩**——カズノコなどの塩気の多い魚介類や塩蔵品の塩抜きをするとき、薄い塩水に浸すこと。浸透圧効果によって薄い塩水に材料の塩分が移り、塩分が薄まる。

7 日本人ならおさえたい「月」の呼び方

一月	睦月《むつき》	新年にみなが集まって「睦みあう」という「むつびづき」に由来する。ほかに「初空《はつそら》月」「太郎《たろう》月」「年端《としは》月」「霞初《かすみそめ》月」などの名がある。
二月	如月《きさらぎ》	冬から春に向かって草木が「更生」するという「生更《きさら》ぎ」、または、寒いため着物を重ねる「着更着」に由来する。ほかに「梅見《うめみ》月」「雪消《ゆきぎえ》月」など。
三月	弥生《やよい》	「弥」はますますという意味。春、暖かくなり、草木が「いや(弥)生い茂る」という「いやおい」から。ほかに「花見《はなみ》月」「桜《さくら》月」「春惜《はるおしみ》月」など。
四月	卯月《うづき》	卯の花の咲く月に由来するとみられる。また、稲を植える「植月」が変化したという説もある。ほかに「夏初《なつは》月」「木葉採《このはとり》月」など。
五月	皐月《さつき》	田植えのシーズンであり、早苗を植えつける月ということに由来。ほかに「田植月」「田草《たぐさ》月」「橘《たちばな》月」「月見《つきみ》ず月」など。
六月	水無月《みなづき》	もともとは「水之月《みなづき》」と書いた。田植えに多くの水を必要とする月だから。ほかに「松風《まつかぜ》月」「鳴神《なるかみ》月」「涼暮《すずくれ》月」など。

七月	文月《ふみづき》	「ふづき」とも読む。七夕のある月で、牽牛・織姫に詩歌の「文」を供える風習があったところから。ほかに「棚機《たなばた》月」「袖合《そであい》月」「七夜《ななよ》月」など。
八月	葉月《はづき》	秋が訪れ、葉の落ち始める月だから。また、稲の穂が張る月だからという説もある。ほかに「秋風《あきかぜ》月」「草《くさ》つ月」「燕去《つばめさり》月」など。
九月	長月《ながつき》	夜がだんだんと長くなっていく「夜長月」からきているという説が有力。ほかに「菊《きく》月」「小田刈《おだかり》月」「色取《いろどり》月」など。
十月	神無月《かんなづき》	全国の神々が出雲に集まり、他の地に神がいなくなるから。また、「神之月」の意からという説もある。ほかに「時雨《しぐれ》月」「初霜《はつしも》月」など。
十一月	霜月《しもつき》	寒さが日に日に増して、朝、大地に霜が降ることが多くなる月だから。ほかに「神来《かみき》月」「雪待《ゆきまつ》月」「霜降《しもふり》月」など。
十二月	師走《しわす》	すべてのことを終わらせる月、つまり「為果《しは》す」月、また「年果つ」が変化したなど諸説ある。ほかに「年積《としつみ》月」「春待《はるまち》月」など。

8 日本人ならおさえたい「二十四節気」の基本

「二十四節気」は、一年を24等分して、その区分に季節を表す名前をつけたもの。祝日になっている春分の日と秋分の日をはじめ、立春や夏至、冬至など、現在でも季節の始まりや特徴を表す目安として、よく耳にする名前が多い。

●わかりますか？　二十四節気の並び順

（立春）→（　　）→（　　）→（春分）→（　　）→（　　）→（　　）→（　　）
→（　　）→（夏至）→（　　）→（　　）→（　　）→（　　）→（　　）→（秋分）
→（　　）→（　　）→（　　）→（　　）→（　　）→（冬至）→（　　）→（　　）

※（　）内に入る言葉はこちらから選んでください。
・寒露　・雨水　・小暑　・啓蟄　・立夏　・処暑　・大寒
・小寒　・霜降　・穀雨　・小雪　・清明　・小満　・白露
・芒種　・立秋　・立冬　・大暑　・大雪

立《りっ》春《しゅん》	2月4日ごろ	節分の翌日で、暦のうえでは一年の始まりにあたる。立春から立夏の前日までが、季節では「春」となる。
雨《う》水《すい》	2月19日ごろ	雪が雨に変わり、雪や氷が溶け始めるころ。春の気配が感じられるようになり、昔は農耕の準備を始める目安となった。
啓《けい》蟄《ちつ》	3月6日ごろ	冬の間、土の中にいた虫たちが、姿を現し、活動を開始する時期。「蟄」には虫が土中にこもるという意味がある。
春《しゅん》分《ぶん》	3月21日ごろ	昼夜の時間が等しくなる日。春分の日を中日とする前後7日間が彼岸となる。寒さが和らぎ、本格的な春を迎える。
清《せい》明《めい》	4月5日ごろ	万物がすがすがしく美しい時期。関東以西では桜の見ごろとなり、さまざまな花が咲く季節となる。
穀《こく》雨《う》	4月20日ごろ	春の雨が降るころにあたる。この時期の雨は、稲や麦といった穀物の生長を助けるところからこう呼ばれる。
立《りっ》夏《か》	5月6日ごろ	新緑が美しくなるころで、暦のうえでは夏の始まりにあたる。この日から立秋前日までが「夏」となる。
小《しょう》満《まん》	5月21日ごろ	「陽気盛んにして万物ようやく長じて満つ」と言われるように、万物が生長し一定の大きさになるころ。

芒《ぼう》種《しゅ》	6月6日ごろ	芒種とは、稲や麦など「芒《のぎ》」（花の外殻にある突起）のある穀類を蒔く時期という意味。昔は田植の時期にあたったが、現在はもっと早い。
夏《げ》至《し》	6月22日ごろ	北半球では、太陽の南中高度が最も高くなり、一年のうちで昼がいちばん長く、夜が短い日。日本では梅雨の時期にあたる。
小《しょう》暑《しょ》	7月8日ごろ	梅雨明けの時期で、暑さがだんだん厳しくなっていく。小暑から立秋前日までが「暑中」で、暑中見舞いを出す期間。
大《たい》暑《しょ》	7月23日ごろ	最も暑いころ。7月20日ごろが「夏の土用の入り」で立秋まで18日間続く。この間の丑の日に、ウナギを食べる習慣がある。
立《りっ》秋《しゅう》	8月8日ごろ	暦のうえでは秋の始まりだが、実際には残暑の厳しい時期にあたる。この日以降は、暑中見舞いではなく、残暑見舞いを出す。
処《しょ》暑《しょ》	8月24日ごろ	暑さがおさまり始めるという意味。本来は、朝夕は暑さが和らぎ、昼間が短くなってきたことを感じるころ。
白《はく》露《ろ》	9月8日ごろ	大気が冷え始め、朝、草花に白露が宿るようになる時期。秋の趣が感じられるようになる季節。
秋《しゅう》分《ぶん》	9月23日ごろ	春分の日と同じく、昼夜の時間が等しくなる日。秋の彼岸を迎え、秋の七草が咲く時期にあたる。

寒《かん》露《ろ》	10月9日ごろ	冷たい露を結ぶ時期という意味。秋の長雨が終わり、秋が深まっていく時期。稲刈りが終わり、菊の花が咲くころにあたる。
霜《そう》降《こう》	10月23日ごろ	冷気が入ってきて、北国や高地では霜が降り始めるころ。花は少なくなり、代わって紅葉が色づき始める。
立《りっ》冬《とう》	11月8日ごろ	暦のうえでは冬の始まり。昼がいっそう短くなり、冬の気配が増していく時期。空気が乾燥し、空が青く澄んでくる。
小《しょう》雪《せつ》	11月23日ごろ	高山では雪が降り始めるころ。木々は葉を落とし、陽光は弱くなり、冷え込みが厳しくなる時期。
大《たい》雪《せつ》	12月8日ごろ	平地でも霜が降りるようになり、冬本番となるころ。日本海側や北国では本格的に雪が降り始める。
冬《とう》至《じ》	12月22日ごろ	昼が最も短く、夜が最も長い日。柚子《ゆず》湯に入り、冬至粥(小豆粥)やカボチャを食べると、風邪をひかないと言われる。
小《しょう》寒《かん》	1月6日ごろ	寒さがいよいよ厳しくなっていくころ。小寒から節分までを「寒《かん》」と言い、この日が「寒の入り」となる。
大《だい》寒《かん》	1月20日ごろ	一年のうちで最も寒さが厳しい時期。立春を迎え、寒が終わることを「寒明け」と言う。

Step 7

品のよさを演出する大人のことわざ・故事成語

1 基本のことわざ・故事成語

□**青菜《あおな》に塩《しお》**……青菜は、スズナ、アブラナなど、青い色をした菜っぱの総称。青菜に塩をかけると、塩の脱水作用でしおれてしまう。同じように人が何かの拍子に、力なく、うちしおれてしまう様を指す。「監督に説教されて、選手たちは青菜に塩のようになった」などと用いる。

□**覆水盆《ふくすいぼん》に返《かえ》らず**……いったん別れた夫婦は、二度と元通りにならないこと。中国の周の時代、太公望が別れた妻から復縁を求められたとき、盆からこぼれた水はもう盆に戻らないと言ったところから。そこから現在では、一度してしまったことは、もう取り返しがつかないという意味でよく使われる。

□**二階《にかい》から目薬《めぐすり》**……目薬は自分でも点眼しにくいものだが、二階にいる人に点眼してもらったら、ますますうまくいかない。そこから思いどおりにならず、もどかしいこと。または、あまりに遠回しなこと。「間に入る人が多すぎて、二階から目薬状態だ」などと用いる。

□**暖簾《のれん》に腕押《うでお》し**……暖簾は、商店の軒先に屋号や商店名を書いて、かけてある布。その暖簾を腕で押しても、何の手応えもない。そこから張り合いのないことのたとえ。「こちらは彼をライバルだと思っているのだが、彼はマイペースで、暖簾に腕押しだ」などと用いる。

□**情《なさ》けは人《ひと》のためならず**……人に親切にしておけば、巡り巡って、やがては自分にもよい報いとなって返ってくること。「人に親切にすると、甘やかすことになるので、その人のためにならない」という解釈は間違い。

□**漁夫《ぎょふ》の利《り》**……双方が争っているすきに、無関係な第三者が利益をもっていってしまうこと。口を開けているハマグリを食べようとカワセミが近づくと、ハマグリは口を閉ざしてしまった。両者譲らず争っているところに、漁夫がやって来て双方を取ってしまったという逸話から。

□**元《もと》の木阿弥《もくあみ》**……戦国時代、郡山城主・筒井順昭が死去し、幼い順慶が後を継いだが、遺言で順昭の死去を隠し、彼と声が似ていた市井の人・木阿弥を寝所に置いた。

やがて順慶が大きくなると、木阿弥は市井の人に戻ったという話から。いったんよくなったものが元の状態に戻ること。

□渡《わた》りに船《ふね》……川や湖、海を渡ろうとしているとき、船がやってきたら、こんなありがたいことはない。そこから、困っているとき、思いがけなく都合のよい便宜を得られること。「商品を輸出しようと思ったとき、バイヤーが現れたのは、まさに渡りに船だった」などと用いる。

□雨後《うご》の筍《たけのこ》……春、雨が降って地中が潤うと、筍が一気に地上に表れ、成長していくように、似たような物事が相次いで起こること。「バブルのころは、雨後の筍のように、リゾート地にホテルが建った」などと用いる。

□帯《おび》に短《みじか》し襷《たすき》に長《なが》し……物事が中途半端で、役に立たないこと。着物の帯にするには、長さが三メートルぐらい必要。襷にするには、一・五メートルぐらいがちょうどいい。その中間ぐらいの長さだと、どちらに使うにも不便なことから。

□百聞《ひゃくぶん》は一見《いっけん》に如《し》かず……何度も耳で聞いたり、本で読んだりするより、一度実際に見たほうが、正確に物事をつかめるということ。中国の漢の時代、趙充国将軍が宣帝に作戦を尋ねられたところ、軍のことは、現場に赴かないとわからないと答えたところから。

□**蛙《かえる》の子《こ》は蛙《かえる》**……おたまじゃくしは親に似ていないが、成長すると親そっくりのカエルになる。人間も同じで、子は結局のところ、親に似て育つの意。ただし、この言葉は、凡人の子は凡人にしかなれないという意味なので、「優秀なお子さんだ。さすが蛙の子は蛙だ」とほめ言葉のつもりで使うのは間違い。

□**ミイラ取《と》りがミイラになる**……「ミイラ」には、腐敗せずに保存された生物の死体の意味のほか、ミイラから取れる油も指す。そこから、この薬効あるミイラ油を取りに行った者が、失敗して自分がミイラになってしまうことをいう。そこから相手を説得しに行ったのに、逆に相手に説得されてしまうことなどをいう。

□**瓢《ひょう》箪《たん》から駒《こま》が出《で》る**……この駒は馬のこと。瓢箪の中から馬が出るくらい、意外な物から思いもかけない物が出てくることのたとえ。あるいは、あるはずのない出来事のたとえ。「陶器の伝統からハイテク技術が出てくるなんて、瓢箪から駒が出たようなものだ」などと用いる。

□五十歩《ごじっぽ》百歩《ひゃっぽ》……正しくは、「ごじっぽひゃっぽ」と読む。少しの違いはあるものの、しょせんは同じこと。似たり寄ったり。戦場で、五十歩退却した兵が百歩逃げ去った兵を臆病者と笑ったが、逃げた点は同じであり、ともに臆病であるところから。出典は『孟子』。

□弁慶《べんけい》の泣《な》き所《どころ》……弁慶ほどの剛勇の者でも、痛がって泣く急所の意。ふつうは向こうずねを指すが、中指の第一関節から先のことを指すこともある。体の部位にかぎらず、「社長の弁慶の泣き所は、娘さんだよ」などと、権力者や強い者の急所に対して使う。

□馬子《まご》にも衣装《いしょう》……「馬子」は馬方とも言い、江戸時代に馬を引いて旅人や荷物を運ぶことを職業とした者。ふだんはどてらがよく似合う馬子でも、立派な衣装を着せれば、きちんとした人物に見える。そこから、つまらぬ者でも外形を飾れば、立派に見えるたとえ。「孫にも衣装」と誤解しないように。

□**虻蜂《あぶはち》とらず**……クモが巣にかかった虻と蜂を同時に捕らえようとして失敗した話から、あれもこれもと欲張ったすえに、何物も得られない様を指す。「AさんもBさんも好きだなんて、虻蜂とらずになりかねないぞ」などと用いる。「二兎追う物は一兎も得ず」と同じ意味。

□**餅《もち》は餅屋《もちや》**……餅をつこうと思ったら餅屋につかせるのが一番うまくいくように、物事にはそれぞれの専門家がいるということ。「経理の仕事となると、やはり餅は餅屋で、税理士事務所の人にはかなわない」などと用いる。

□**飼《か》い犬《いぬ》に手《て》を噛《か》まれる**……かわいがっていた者に裏切られ、思いもよらぬ危害を受けること。飼い主に恩があるはずの飼い犬が、飼い主に噛みつく様にたとえた。「社員全員に反対されるとは、飼い犬に手を噛まれる思いだ」などと用いる。

2　歴史を感じさせることわざ・故事成語

□**論語《ろんご》読《よ》みの論語《ろんご》知《し》らず**……孔子の論語を読んではいても、その内容や本質を理解していないこと。そこから、表面的には理解していても、理解したことを実行しないことを指す。「あの経済学者は論語読みの論語知らずで、彼の唱える経済政策は素人よりひどい」などと用いる。

□**李下《りか》に冠《かんむり》を正《ただ》さず**……「李」はスモモ。スモモの木の下で手を上げて冠を直すと、他人からスモモの実を盗んでるように疑われかねない。そこから、他人に疑われるような行為はするべきではないということ。瓜畑で靴を直すことを戒めた「瓜田に履《くつ》を納《い》れず」も同じ意味。

□**快刀乱麻《かいとうらんま》を断《た》つ**……「快刀」は切れ味のいい刀。「乱麻」はもつれた麻。もつれた麻を切れ味のいい刀で断ち切るように、紛糾してもつれた事態を、鮮やかに解決すること。「名探偵が、快刀乱麻を断つ活躍で、難事件を解決した」などと用いる。

□**仏作《ほとけつく》って魂《たましい》入《い》れず**……物事をほとんど仕上げながら、もっとも大切な部分が抜け落ちていること。立派な仏像を作っても、そこに魂が込められてなければ、ただの木像、石像にすぎないところから。「いい脚本なのに、監督があの人では、仏作って魂入れずの作品になるだろう」などと用いる。

□**小田原評定**《おだわらひょうじょう》……長引くだけで、なかなか結論の出ない会議のこと。豊臣秀吉が北条氏の小田原城を攻めたとき、北条氏とその家臣団は和戦の議論を長々とするばかりで、百日経っても結論が出なかったことから。「いつまで小田原評定を続けるつもりだ」などと用いる。

□**独活**《うど》**の大木**《たいぼく》……ウドは大きくなると、１８０センチぐらいになる植物。ただし、食用に適しているのは60~70センチぐらいで、それ以上大きくなると、かたくて食べられなくなる。そこから、図体ばかり大きくて、役に立たない人を指す。「独活の大木のように、背ばかり伸びやがって」などと用いる。

□**光陰矢**《こういんや》**の如**《ごと》**し**……「光」は日、「陰」は月で、「光陰」は歳月のこと。歳月が矢のように、早く過ぎて去っていく様を指す。「光陰矢の如しで、洟《はな》垂れ小僧が、いつのまにか立派な大人になった」などと用いる。

□**ごまめの歯**《は》**ぎしり**……ごまめは片口鰯を干したもので、正月には田作りとして祝賀用の食べ物にもなる。ここでは小さな魚の象徴で、力のない者のたとえ。力の弱い者が、力の強い者に対して異を唱えても何の影響力もないことの形容。「彼が反対したところで、しょせんごまめの歯ぎしりだ」などと用いる。

□窮《きゅう》鼠《そ》猫《ねこ》を噛《か》む……追い詰められて逃げ場のないネズミは、ネコを相手にでも噛みつく。そこから絶体絶命の危機に追い詰められた弱者が、必死になって強者を倒してしまうという意味。「敵をあまりに追い詰めると、窮鼠猫を噛むように逆襲を受けかねない」などと用いる。

□糠《ぬか》に釘《くぎ》……柔らかい糠に釘を打っても、釘は立たず、手応えもない。そこから何の効き目も手応えもないことのたとえ。「暖簾に腕押し」と同じ。「彼女には何を言っても糠に釘だ」などと用いる。

□驕《おご》る平家《へいけ》は久《ひさ》しからず……地位や経済力を鼻にかけて人を見下したように振る舞う者は、その身を長く保つことができず、やがて没落するということ。『平家物語』の一文、「驕れる人も久しからず」に由来。「あのワンマン社長が脱税で逮捕されるとは、まさしく驕る平家は久しからずだ」などと用いる。

□魚心《うおごころ》あれば水心《みずごころ》……魚に水を好む心があれば、水にも魚をよしとする心が生まれるように、相手が好意をもてば、こちらも好意をもつようになるたとえ。たとえば男女の仲では、「魚心あれば水心で、お互いがひかれあった」などと用いる。政財界の癒着関係などにも使われる。

□**子《こ》は鎹《かすがい》**……鎹は、材木の合わせ目をつなぎとめるために用いる両端の曲がった釘。そこから「両者をつなぎとめるもの」という意味があり、子どもに対する愛情が鎹の役割を果たし、夫婦の縁をつなぎとめることのたとえ。

□**刎頸《ふんけい》の交《まじ》わり**……「刎頸」とは首を跳ねることで、その人のためなら、首をはねられても後悔しないほどの友情で結ばれた仲のこと。あるいは生死をともにするほどの親しい交際。「刎頸の交わりをするほどの友人を持つ者は幸せだ」などと用いる。

□**濡《ぬ》れ手《て》で粟《あわ》**……前述のとおり、苦労せず、やすやすと金儲けしたり、成果を手に入れること。乾いた手で粟粒をつかんだとしてもそうつかめるものではないが、濡れ手でつかむと、大量の粟粒がついてくることからうまれた言葉。「濡れ手で粟をつかむ」とも言う。

□**青《あお》は藍《あい》より出《い》でて藍《あい》より青《あお》し**……青色の染料は、植物の藍の葉よりつくるが、藍の葉はさほど青い色をしていない。そんな藍から、布を真っ青にする染料ができることから、弟子が師匠をしのぐほど優秀になることを指す。「出藍《しゅつらん》の誉れ」も同じ意味。

□**泣《な》く子《こ》と地頭《じとう》には勝《か》てぬ**……地頭は、鎌倉時代から室町時代にかけての地方の役人。聞き分けもなく泣く子と権力を持っている地頭には、道理を言い立てても通じない。そこから道理の通じない相手には、従うしかないということ。

□**敵《てき》に塩《しお》を送《おく》る**……争っているライバルの苦境をわざわざ助けること。戦国時代、武田信玄のいる甲斐は山国であるため、塩不足に悩んでいた。すると、武田信玄の宿敵である越後の上杉謙信が、この苦境に越後の塩を送ったという逸話から。

□**知《し》らぬ顔《かお》の半兵衛《はんべえ》**……知っているのに、知らない顔をしてとりあわないこと。戦国時代、美濃の天才軍師・竹中半兵衛を前田利家が織田方に誘ったとき、半兵衛はなにくわぬ顔で利家から織田方の情勢を聞き出し、美濃を勝利に導いたという故事から。なお、半兵衛は後に秀吉の説得で織田方に。

□**三人寄《さんにんよ》れば文殊《もんじゅ》の知恵《ちえ》**……文殊とは、仏教で仏の知恵を象徴する文殊菩薩のこと。愚かな人間であっても、三人集まって話し合えば、文殊菩薩がひねりだすような素晴らしい知恵を生み出せるという意味。ただし、逆の意味の「三人寄っても下司は下司」という言葉もある。

□**白羽《しらは》の矢《や》を立《た》てる**……数多くの人の中から、これぞという人を選び出すこと。または、犠牲者に選ばれること。人身御供を求める山の神や水の神が、見込んだ娘のいる家の軒や屋根に、白羽の矢を立てたという言い伝えから。「白羽の矢が当たる」は間違い。

□**敵《てき》は本能寺《ほんのうじ》にあり**……真の目的は、別のところにあるという意味。戦国時代、明智光秀が、織田信長の命令で毛利勢を攻めると部下に言いながら、実際には京都の本能寺にいた信長を攻めて、滅ぼしたところから。

□**三顧《さんこ》の礼《れい》**……目上の人が、賢者に対して礼を厚くして、仕事の依頼をすること。たんに「三顧」とも言う。中国の三国時代、劉備が天才軍師・諸葛孔明の草庵を三度訪ねることで、ようやく軍師を引き受けてもらったことから。

3 味わいのあることわざ・故事成語

□**禍福《かふく》は糾《あざな》える縄《なわ》のごとし**……「禍福」は幸せと災い。「あざなえる縄」は縒《よ》り合わせた縄のこと。人の幸福と不幸は隣り合わせであり、縒り合わせた縄のように、つねに入れ替わりにやって来るということ。中国の故事にもとづく「人間万事、塞翁が馬」も、同じ意味。

□**角《つの》を矯《た》めて牛《うし》を殺《ころ》す**……わずかばかりの欠点を直そうとしたすえに、物事全体を損なってしまうこと。牛の角を無理に曲げようとし、肝心の牛を殺してしまうことから。「あまりに部下のミスを問題にすると、角を矯めて牛を殺すように、部下の素質を台無しにする」などと用いる。

□**鬼《おに》の霍乱《かくらん》**……「霍乱」とは、日射病や暑気あたりのこと。俳句では、夏の季語になっている。鬼は勇猛、頑健な人のたとえで、ふだん頑丈で病気一つしない人が、珍しく病気になることをいう。「いつもパワフルな次長が風邪で休むとは、まさに鬼の霍乱だね」などと用いる。

□**柳《やなぎ》に雪《ゆき》折《お》れなし**……柔軟なものは、剛直なものよりも物事によく耐えること。大雪が積もったとき、普通の木の枝は、雪の重さによって折れてしまうことがある。一方柳は、見た目は細いが、しなって雪を積もらせないため、どんな大雪になっても折れないところから。

□**得手《えて》に帆《ほ》を揚《あ》げる**……「得手」は、得意とするところ。船の帆を揚げると、帆が風をはらんで船が早く進むように、得意なことがさらに調子よくなるという意味。

□**羹《あつもの》に懲《こ》りて膾《なます》を吹《ふ》く**……羹は熱い汁。膾は野菜の酢の物、または細かく切った生肉。熱い汁を飲むとき、舌を火傷して懲りた者が、次に冷たい膾を口にするとき、用心して息を吹きかけ、冷まそうとする様。前の失敗に懲りて、しなくてもいい無益な用心をする愚かさを指す。

□**君子《くんし》は豹変《ひょうへん》す**……「豹変」は、豹の毛が抜けると、鮮やかな斑紋が浮かび上がるところから、「自分の言動を一変させる」の意。「君子は豹変する」は本来はいい意味で使われ、人格の立派な人はすぐに過ちを改めるという意。ただ現在では、「豹変する」は悪い方向に変わるという意でもよく用いられている。

□**鵜《う》の目《め》鷹《たか》の目《め》**……鵜も鷹も、鳥類の中では視力が発達しており、その視力を生かして上空から獲物を探す。そこから鵜や鷹のように、モノを鋭く探す目つきを指す。「鵜の目鷹の目で、商品開発のヒントを探す」などと用いる。

□**鶏口《けいこう》となるも牛後《ぎゅうご》となるなかれ**……「鶏口」は鶏のくちばしで、小さな集団のトップのたとえ。「牛後」は牛の尻で、大きな集団の末尾のたとえ。大きな集団の後方にいるよりも、小さな集団を率いる者であれという意味。「鶏口牛後」とも言う。「寄らば大樹の陰」の逆。

□**隗《かい》より始《はじ》めよ**……大事業も、まずは手近なところから始めよという意味。「隗」は、郭隗という人物のこと。中国の戦国時代、燕の昭王が国力を高めるための方策を家臣に求めた。郭隗はまず自分のような平凡な人間から重用することを進言し、その結果、優れた人材が集まってきたことから。

□**商《あきな》いは牛《うし》の涎《よだれ》**……牛は食べた物を反芻《はんすう》するため、いつもヨダレを垂らしている。このことから、牛のヨダレのように、細くとも切れることのないよう、気長に続けることが、商いでは重要であることを説いた言葉。「商いは牛の涎と言うとおり、いまは辛抱のとき」などと用いる。

□**蛇《じゃ》の道《みち》は蛇《へび》**……同類のやることは、どんなに微力な者であっても、他の者よりもよく知っていることのたとえ。蛇《じゃ》は大きな蛇、蛇《へび》は普通のサイズの蛇。蛇《じゃ》の通り道は人間にはわからないが、同類である蛇《へび》なら知っているだろうと思われることから。

□**寸鉄人《すんてつひと》を刺《さ》す**……短くとも鋭い言葉で、人の急所をつくこと。寸鉄とは、本来は小さな刃物のこと。中国の禅僧・大慧禅師が「寸鉄あるのみにして、すなわち人を殺すべし」と説いたところから。「殺す」が「刺す」に変わり、やがて「寸鉄」に警句や警語という意味が生まれた。

□**栴檀《せんだん》は双葉《ふたば》より芳《かんば》し**……栴檀は、白檀《びゃくだん》という香木の異称。双葉は発芽したばかりの二枚葉。栴檀は発芽したときから、いい香りがすることから、将来大成する人は、子どものころから優れていることのたとえ。幼い子どもへのほめ言葉でなく、ある程度、将来の見えた成人の過去を振り返ってもいる。

□**船頭《せんどう》多《おお》くして船山《ふねやま》にのぼる**……一つの船に船頭が一人なら、船は船頭の思う方向に進んでいくが、一つの船に船頭が何人もいると、船頭各人が思い思いに櫓《ろ》を動かすため、船はあらぬ方向へと進んでしまう。そこから指図する人が多いばかりに統一がとれず、とんでもない事態になることのたとえ。

□**他《た》山《ざん》の石《いし》**……「他山の石を以て玉を攻むべし（よその山からとれた石でも、自分の宝石を磨くのに役立つ）」に由来。他人の間違った発言や行動であっても、自分自身の教養や品格を高めるのに役立つの意。「彼の失敗を他山の石として、研鑽に励んでほしい」などと用いる。一方、人の成功に習うという意味で使うと誤用になる。

□**棚《たな》から牡丹餅《ぼたもち》**……思いもかけなかった幸運に巡り会うこと。この棚は神棚のこと。牡丹餅は、かつてはよほどめでたい日でないと、口にできないごちそうだった。神棚にお供えしてあった牡丹餅が、何かの拍子に落ちて、食べることができれば、こんなうまい話はないということから。

□**頂門《ちょうもん》の一針《いっしん》**……頂門とは、頭の上のこと。頭の上に一本の針を刺すように、人の急所を押さえて、戒めにすること。「今回の一件は、多くの投資家にとって、頂門の一針となったのではないか」などと用いる。

□**鶴《つる》の一声《ひとこえ》**……鶴はめったに鳴かない鳥だが、ひとたび鳴くと数百メートル先にまで、その声が響くという。そこから実力者や権威者が、衆人を圧する決定的な一言を言うこと。「会長の鶴の一声で、撤退が決まった」などと用いる。

□**灯台下暗《とうだいもとくら》し**……ここでいう「灯台」は、船舶運行用のものでなく、机の上に置く燭台。燭台は少し離れた周囲を明るくするものの、その直下は暗い。そこから身近な事情は、かえってわかりにくいこと。「わが社にあんな才媛がいたなんて、灯台下暗しだ」などと用いる。

□**蟷螂《とうろう》の斧《おの》**……蟷螂はカマキリの漢名。カマキリが前足のカマを振るって人間に立ち向かっても、人間の敵ではない。同じように弱小の者が自分の力量を顧みず、強大な者に抵抗することのたとえ。「彼がどんなに頑張っても、プロ相手には蟷螂の斧だ」などと用いる。

□**張《は》り子《こ》の虎《とら》**……張り子の虎は、木や竹で作った枠に紙を張ってつくる虎の形のおもちゃ。中身は空っぽで実力はないのに虚勢を張る人のたとえ。「あの国の軍隊は張り子の虎で、見かけほど強くない」などと用いる。

□**庇《ひさし》を貸《か》して母屋《おもや》を取《と》られる**……庇は家の軒に突き出た、雨や日光を防ぐための小さな屋根。庇を貸しただけなのに、いつのまにか母屋を取られてしまうの意。そこから一部を貸したつもりが、最後には全部を奪われてしまうこと。あるいは保護していた相手に、恩を仇で返されること。

□**喉元《のどもと》過《す》ぎれば熱《あつ》さを忘《わす》れる**……間違って熱い食べ物や飲み物を口にしたときには、火傷しそうな苦痛を感じるが、熱さは喉元を過ぎれば感じなくなる。そこから、どんな苦しい経験でも、過ぎてしまえば忘れてしまうこと。または、苦しいときに受けた恩も忘れてしまうこと。

4　先人の知恵がつまったことわざ・故事成語

□**雨降《あめふ》って地固《じかた》まる**……雨が降った直後は地面がぬかるみ、歩きにくくなるが、時間がたつと、地面は以前よりさらに固くなる。そこから、いざこざやもめ事が起きた後、最終的には前よりよい状態になることを指す。

□**袖振《そでふ》り合《あ》うも多生《たしょう》の縁《えん》**……「多生」は、何度も生まれ変わること。「他生」とも書き、この場合は前世または来世。見知らぬ人と袖が触れ合ったりするのも、単なる偶然ではなく、前世からの因縁によるという仏教の考え方に基づく言葉。「多少の縁」はよくある書き間違い。

□**贔屓《ひいき》の引《ひ》き倒《だお》し**……ひいきしすぎたため、かえってその人を不利にしたり、迷惑をかけること。よくしようと思ってやったことが、逆の悪い結果をもたらすこと。「地元のヒーローだからとちやほやしすぎると、贔屓の引き倒しで、成長が止まってしまう」などと用いる。

□**暮《く》れぬ先《さき》の提灯《ちょうちん》**……あまり先のことまで用心しすぎて、かえって間が抜けていること。日が暮れてもいないのに、提灯に火を灯して持ち歩けば滑稽なことから。類義語に「小舟の宵拵《ごしら》え（小さな舟を出すのに、前の晩から準備する）」「塩辛を食おうとして水を飲む」などがある。

□**名物《めいぶつ》に旨《うま》い物《もの》なし**……名物と言われるものは、えてしておいしくはないこと。名が実を伴わないことのたとえ。「名物に旨い物なしで、旅館の郷土料理がおいしかったためしがない」「冷凍のカニを出したのでは、名物に旨い物なしと言われてもしかたない」などと用いる。

□**鯛《たい》も一人《ひとり》はうまからず**……魚の王様といわれる高級魚の鯛も、一人で食べたのではおいしくないということ。食事は大勢でにぎやかに食べたほうが、おいしく感じられることのたとえ。また鯛は、結婚式などめでたい場で食べる魚なので、自宅で一人といった場違いな食べ方をしても、おいしくはないからという説もある。

□**青葉《あおば》は目《め》の薬《くすり》**……読書や針仕事など、近くのものを集中して見る作業を続けると、目が疲れてくる。そんなときは窓の外に目を向け、遠くの山などを眺めるといいということ。「青葉」は「自然」の象徴であり、自然の中に身を置いて目を休ませよという意味もある。

□**沈《しず》む瀬《せ》あれば浮《う》かぶ瀬《せ》あり**……「瀬」は川の流れの速いところ。このことわざでは機会、場合の意で使われ、人生、不調なときもあれば、好調なときもあり、悪いことばかりは続かないという意味になる。「沈む瀬あれば浮かぶ瀬ありというじゃないか。クヨクヨするな」などと使う。

□**鳶《とんび》に油《あぶら》揚《あ》げをさらわれる**……不意にやって来た第三者に、大事なものを奪われることのたとえ。油揚げを持って歩いていると、上空を旋回していた鳶が急降下して、さらって行くことから。「いつまでも彼女に告白しないでいると、鳶に油揚げをさらわれることになりかねないぞ」などと使う。

□**氷《ひょう》炭《たん》相《あい》容《い》れず**……性質が反対で、合わないことのたとえ。「氷炭」だけで、違いがはなはだしいという意味がある。「氷炭相容れずというが、あの二人は性格が正反対で喧嘩ばかりしている」「氷炭相容れずと思われた二人だが、こと仕事となると互いに補い合っている」などと使う。

□人《ひと》を呪《のろ》わば穴二《あなふ》つ……他人を呪って殺そうとすれば、自分にも報いがきて命を失うので、墓穴が二つ必要になる。人を陥れようとすれば、自分にも悪いことが起きるというたとえ。「君の怒る気持ちはわかるが、人を呪わば穴二つと言うよ」などと用いる。

□茶腹《ちゃばら》も一時《いっとき》……「茶腹」は、お茶を飲んでいっぱいになったおなか。おなかが減っていても、お茶を飲むと、少しは空腹をいやすことができる。そこから、本来の目的からはずれていても、その場しのぎはできるということ。

□鑿《のみ》と言《い》えば槌《つち》……鑿が欲しいと言ったら、鑿だけでなく、鑿を打つのに必要な槌も一緒に用意するということから、万事に気が利いていることのたとえ。「あの社長の秘書は実に気が利く人で、鑿と言えば槌を地でいっている」などと用いる。

□盗人《ぬすびと》に追《お》い銭《せん》……盗人に物品を盗まれたうえに、さらにわざわざ金銭を与えること。損を重ねることのたとえ。「泥棒に追い銭」とも。「大きな損害を出した役員に退職金を出すのは、盗人に追い銭を与えるようなものだ」などと用いる。

□**垢《あか》も身《み》の内《うち》**……垢は、汗や脂などが皮膚にたまってできる汚れだが、体の一部ともいえるので、あまりムキになって落とさないほうがいいということ。「腹も身の内」のもじりで、江戸時代の戯作者《げさくしゃ》・式亭三馬《しきていさんば》の『浮世風呂《うきよぶろ》』に登場する言葉。

5 風刺の効いたことわざ・故事成語

□**売家《うりいえ》と唐様《からよう》で書《か》く三代目《さんだいめ》**……初代や二代目のときは隆盛を誇った家も、三代目となると落ちぶれて、家を売りに出すはめになるという意味。「唐様」は中国風の書体で、お金はなくなったが、はぶりのよかったころに身につけた芸や学問は残っていることを皮肉っている。

□**勝《か》てば官軍《かんぐん》**……「官軍」は、朝廷や政府の軍隊。戦いに勝った者が、正義と評されるという意味。「負ければ賊軍」と続けることもある。幕末、薩摩・長州軍と江戸幕府軍との間で行われた鳥羽伏見の戦いで、緒戦に勝利した薩長軍に対し、錦の御旗が与えられ、官軍となったことから生まれた言葉。

□**闇夜《やみよ》に鉄砲《てっぽう》**……闇夜に鉄砲を撃っても、当たらないところから、当てずっぽうに行なうこと、やっても効果がないことをいう。「闇夜に礫《つぶて》」ともいう。「成算もなく、飛び込み営業に頼るとは、闇夜に鉄砲だな」と用いる。

□一将《いっしょう》功《こう》成《な》りて万骨《ばんこつ》枯《か》る……「将」は軍を率いる将軍。一人の将軍が輝かしい功績を立てた陰には、戦いで命を落とした数多くの兵隊がいるものだ。そこから、上に立つ者の功績ばかり評価され、部下たちの犠牲や苦労が忘れられていることに対して、批判的に使う言葉。

□一押《いちおし》二《に》金《かね》三男《さんおとこ》……一は押しが強いこと、二は金があること、三は男前であることで、女性を口説くときに効果がある順番を表す。男は、金や見かけより、押しの強さが大事であるということ。江戸時代のことわざで、明治時代には続けて「四程《ほど》（身分）、五芸（芸事）」と言われた。

□上手《じょうず》の手《て》から水《みず》が漏《も》る……「上手」は名人、達人。その道の達人と呼ばれる人でも、ときには失敗するということ。相手の失敗を弁護したり、冷やかすときにも用いる。「河童の川流れ」「猿も木から落ちる」などと同じ意味だが、相手が目上の場合、動物にたとえずにすむため、「弘法も筆の誤り」と並んで使いやすい。

□**問屋《とい や》のただいま**……用を頼むと、「はい、ただいま」と返事するが、実際にはなかなか動こうとしないこと。問屋に品物を注文すると、「ただいまお届けします」と即答するが、すぐに届くのはまれなことから。類義語に「紺屋《こう や》の明後日」「鍛冶屋の明晩」などがある。

□**貧者《ひんじゃ》の一灯《いっとう》**……「長者の万灯より貧者の一灯」ともいう。「一灯」は、わずかな寄付のたとえ。金持ちの多額の寄進よりも、貧しい者の心のこもったわずかの寄進のほうが功徳《く どく》が大きいことを指す。形式よりも、真心が大切であることのたとえ。

□**百年河清《ひゃくねんか せい》を俟《ま》つ**……常に濁っている中国の黄河の濁流は、澄むことがない。そんな黄河の水が澄むのを待つように、いつまでも待っても実現する見込みのないことのたとえ。「お役所仕事の改善を望むのは、百年河清を俟つようなものだ」などと用いる。

□**羊頭《ようとう》を懸《か か》げて狗肉《く にく》を売《う》る**……羊の頭を看板に出して、実際には狗《いぬ》の肉を売ること。外見が実際とは違うこと、見かけが立派でも実質を伴わないことのたとえ。四字熟語の「羊頭狗肉」と同じ意味。

□**山《やま》の芋《いも》が鰻《うなぎ》になる**……「山の芋」は、自然薯《じねんじょ》のこと。山の芋と鰻は、見た目が似ていて、どちらもヌルヌルしてはいるが、関係はまったくないもの。そこから、起きるはずのないことが、実際に起きるたとえ。あるいは、思いもよらないほどの変化のたとえ。

□**毛《け》を吹《ふ》いて疵《きず》を求《もと》める**……毛に覆われて、外からは見ることができない小さな傷を、わざわざ毛を吹いて探し出すことで、ちょっと見には気づかない欠点をわざわざ探して、あげつらうことのたとえ。今は、人の欠点や失敗を暴こうとして、逆に自分の欠点や失敗を露呈するという意味でも用いられている。

□**磯《いそ》の鮑《あわび》の片思《かたおも》い**……好きな相手に振り向いてもらえない様子。鮑は、その平たい形があたかも一枚貝のようで（本当は巻き貝の仲間）、もう一枚の貝殻を失ったように見える。そこから、相手には恋い慕ってもらえない片思いにたとえた。「磯の鮑」は、片思いの前につける枕詞《まくらことば》でもある。

□**初物七十五日**《はつものしちじゅうごにち》……「初物」は、その季節に初めて収穫した野菜や果実、穀物、魚介類などのこと。初物を食べると、寿命が七十五日伸びるという江戸時代に流行った俗説から。江戸時代の人々がこの俗説を強く信じていたため、初物には異常な高値がついた。ちなみに、初鰹、初鮭、初ナス、初茸を「初物四天王」という。

6 「いましめ」が込められたことわざ・故事成語

□**山高**《やまたか》**きが故**《ゆえ》**に貴**《とうと》**からず**……鎌倉時代に成立した児童用の教訓書『実語教』にある「山高きが故に貴からず、樹ある以て貴しと為す」から。外観が立派でも、内容が伴わなければ、優れているとは言えないこと。物事を見かけだけで判断してはいけないということ。

□**門前**《もんぜん》**の小僧**《こぞう》**習**《なら》**わぬ経**《きょう》**を読**《よ》**む**……寺の門前に住む子どもが、僧侶のお経を毎日聞くうちに、習ったこともないお経を読むことができるようになるという意味。そこから、ふだん見聞きしていると、いつのまにかそれを学び知ってしまうこと。環境が人に与える影響の大きいことのたとえ。

□**牛《うし》に引《ひ》かれて善光寺《ぜんこうじ》参《まい》り**……偶然、思いもよらぬいい目にあうこと。「善光寺」は長野市にあって、古くから多くの参拝客を集めてきた寺院。あるとき、老婆が逃げた牛を追いかけたところ、善光寺の境内に入った。そのとき、善光寺の存在を初めて知り、以後たびたび参拝するようになったという逸話から。

□**艱難《かんなん》汝《なんじ》を玉《たま》にす**……「艱難」は大変な苦しみ、苦労。「玉」は立派なもの、宝石。合わせて、苦労することで、優れた人物に成長するという意味。「浪人したぐらいでクヨクヨするな。『艱難汝を玉にす』と言うだろ」などと用いる。

□**身《み》を捨《す》ててこそ浮《う》かぶ瀬《せ》もあれ**……この「瀬」は、川の浅瀬のこと。窮地のときは、川に飛び込むような覚悟で当たってこそ、浅瀬に浮かび上がれることもあるように、窮地を脱出することができるということ。「この窮状をしのぐには、身を捨ててこそ浮かぶ瀬もあれで、いちかばちかやってみるしかない」などと用いる。

□**待《ま》てば海路《かいろ》の日和《ひより》あり**……待っていれば、海の静かないい日和がやってくるということ。焦らずにじっくりと待っていれば、やがてよい機会がめぐってくることのたとえ。「待てば甘露の日和あり」も同じ意味。「待てば海路の日和ありというように、今急いで株式を売り払わなくてもいい」などと用いる。

□**稼《かせ》ぐに追《お》いつく貧乏《びんぼう》なし**……一生懸命働けば、貧乏になることはないという意味で、勤労の美徳を説いたもの。ただし、これをもじった「稼ぐに追いつく貧乏神」という、逆の意味のことわざもある。

□**棒《ぼう》ほど願《ねが》って針《はり》ほど叶《かな》う**……棒のように大きな願いをもっていても、実際には針くらいの小ささしかかなわないという意味。人の望みや願いがなかなか達せられないことのたとえとして用いる。

□**人間到《にんげんいた》るところに青山《せいざん》あり**……「人間」は人の住む世界で、「じんかん」とも読む。世間。「青山」は墓地。世の中、どこへ行っても、骨を埋められる場所はあるのだから、いつ死んでもいいぐらいの覚悟で、故郷を離れ、広い世界で活躍せよという意味。「青山」を希望に満ちた場所などと誤解し、結婚式のスピーチなどで使わないように注意。

□**生兵法《なまびょうほう》は大怪我《おおけが》のもと**……中途半端な技術や知識は、かえって失敗を招く原因になるということ。「下手な知識を振りかざさないほうがいい。生兵法は大怪我のもとだよ」などと用いる。似た意味の言葉に「生兵法は知らぬに劣る」「生悟り堀に落ちる」などがある。

□**三十六計逃《さんじゅうろっけいに》げるにしかず**……逃げるべきときは、さっさと逃げたほうがいいということ。または面倒なことは、避けたほうがいいということ。「三十六計」はたくさんの計略という意味で、中国の南北朝時代を記した『南史』の「三十六策、走るは上計」から生まれた言葉。

□**魚《さかな》は殿様《とのさま》に焼《や》かせよ**……魚を焼くときは、焼き具合を見ようと何度も引っ繰り返すと、身が崩れて、うまく焼けない。殿様のように悠然として、あまりいじらないほうが、おいしくきれいに焼けるという意味。

□**日暮《ひく》れて道遠《みちとお》し**……年老いても、目的を達するにはほど遠いことのたとえ。期限は迫っているのに、物事が容易にはできあがらないたとえでもある。「若いころは学問を究めるつもりだったが、今は日暮れて道遠しという心境だ」などと用いる。

□**田舎《いなか》の学問《がくもん》より京《きょう》の昼寝《ひるね》**……田舎で本を読んで学問するより、都である京都にいるほうが、たとえ怠けていたとしても、よほど見聞を広め、知識を得られるということ。似た意味の言葉に「田舎の利口より京の馬鹿」がある。

□**起《お》きて半畳《はんじょう》寝《ね》て一畳《いちじょう》**……人が生きるのに必要な広さは、起きているときで半畳、寝ているときでも一畳もあれば十分ということ。必要以上の贅沢を戒めるための言葉。大きな家を求めたり、金儲けにあくせくする人に対し、用いられる。類義語に「起きて三尺寝て六尺」がある。

□**虎《とら》に翼《つばさ》**……もともと強い虎に、空を飛べる翼をつければ、かなう者がいなくなる。勢力のある者に、さらに力を加えることのたとえ。「彼のような強引なやり手に銀行が金を貸すとは、虎に翼をつけるようなものだ」などと用いる。類義語に「鬼に金棒」がある。

□**嚢中《のうちゅう》の錐《きり》**……優れた人物は、多くの人の中にあっても、自然に才能を表し、目立つことのたとえ。「嚢中」は袋の中のこと。袋の中に錐を入れておくと、錐の先が自然と袋の外に突き出ることから。「嚢中の錐のように、真の個性、才能は姿を現わすはずだ」などと用いる。

7 教養ある大人のことわざ・故事成語

□**灯火親《とうかした》しむべし**……秋の夜は、涼しくて長く、灯火の下で書物を読むのに適している。そこから、大いに読書するとよいという意味。出典は中唐の文人・韓愈の詩。「読書の秋」という言葉も、ここから生まれた。

□**髀肉《ひにく》の嘆《たん》**……「髀肉」は、腿の肉。中国の三国時代、後に蜀《しょく》の主となる以前の劉備が、安穏な日々を送るうち、馬に乗って戦場に出る機会がないため、内腿の肉が肥え太ってしまったことを嘆いたところから。功名を立てたり、手腕を発揮したりする場のない状況を嘆くたとえ。

□**天高《てんたか》く馬肥《うまこ》ゆ**……「天高く」は空気が澄み、空が高く見える秋のこと。秋になると馬は食欲を増し、肥え太るという意味。ただし、秋の豊穣《ほうじょう》さを表したものでなく、もとは中国で異民族の強襲を警戒するための言葉。馬が太りだす秋になると、北方民族が馬にまたがって攻め込んできたことから。

□江戸《えど》の敵《かたき》を長崎《ながさき》で討《う》つ……江戸の敵を長崎で討つように、思いもよらない場所、または筋違いのことで昔の恨みをはらすこと。異説もあり、大坂の見せ物師が江戸で人気を博したとき、長崎から来た見せ物師がそれ以上の人気を博した。そこから生まれた言葉で、「江戸の敵を長崎が討つ」が正しいともされる。

□笛吹《ふえふ》けども踊《おど》らず……手を尽くして働きかけても、それに応じて人が動き出さないことのたとえ。イエスが信仰に導こうとしても、人々はイエスの言葉を無視したという新約聖書「マタイ伝」の記述から。「あの会社は、幹部が厳しく言っても、社員は笛吹けども踊らずで、いっこうに業績が上がらない」などと用いる。

□望蜀《ぼうしょく》……「隴《ろう》を得て蜀を望む」ともいう。中国の三国時代、魏の将軍・司馬懿《しばい》が隴の地を征服し、さらに蜀の地までを攻めようと言ったとき、主君の曹操が、後漢・光武帝の言葉を引用して戒めた。一つの望みを遂げると次の望みが起きて、人間の欲望には限度がなく、満足を知らないことのたとえ。

□巧言令色《こうげんれいしょく》鮮《すくな》し仁《じん》……「巧言」は口先でうまくいうこと、「令色」は媚びた表情をすること。「仁」は儒教が求める道徳で、真心や誠実さ。合わせて、人に気に入られようと調子のいいことを言い、愛想のよい態度をする人は、真心が少ないという意味。出典は『論語』。

□桂馬《けいま》の高上《たかあ》がり……「桂馬」は将棋の駒で、他の駒を飛び越して一筋横の二コマ先に進める。ただし、後ろには戻れないため、安易に進みすぎると歩《ふ》の餌食になってしまう。そこから分不相応な地位について、失敗したり失脚することのたとえ。「桂馬の高上がり歩の餌食」ともいう。

□白眉《はくび》……多数ある中で、最も優れている人、物をたとえていう。中国の三国時代、蜀の馬氏の五人兄弟は皆秀才だったが、眉に白い毛のある長兄の馬良《ばりょう》が最も優れていたことから。「ローマ観光の白眉は、やっぱりコロッセオだ」などと用いる。

□墨守《ぼくしゅ》……自己の習慣や主張などを固く守り、変えないこと。中国の戦国時代、宋の思想家の墨子が、楚の軍師・公輸盤の九回にわたる挑戦を九回とも破り、楚の侵略を防いだことから。「祖先の教えを墨守する」「定説を墨守するばかりでは、進歩がない」などと用いる。

□**宋襄《そうじょう》の仁《じん》**……不必要な哀れみをかけて、ひどい目にあうこと。無益な情け。「宋襄」は中国・春秋時代の宋の王、襄公。楚の国との戦いで「敵の準備が整わないうちに攻めましょう」という参謀の進言を退け、「人が困っているときに苦しめてはいけない」と言って、やがて楚に敗れたことから。

□**焦眉《しょうび》の急《きゅう》**……「焦眉」は〝眉を焦がす〟ほど、火が近づいていること。そこから、危険や出来事が差し迫っているの意。出典は宋代の『五灯会元《ごとうえげん》』で、「急切の一句とは何か」との問いに、法泉禅師が「火、眉毛を焼く」と答えたことから。「教育改革こそ、焦眉の急だ」などと用いる。

□**病膏肓《やまいこうこう》に入《い》る**……病気が重くなり、治療しようもない状態になること。そこから、物事に熱中するあまり、抜け出られなくなること。「膏」「肓」はともに、治療しにくい体の部位で、中国の春秋時代、晋の景公が病気になったとき、病気の精が膏と肓に入ってしまったため、病気が治らなかったことから。「こうもう」と読む人が増えているが、誤読。

8 意外に重宝することわざ・故事成語

□**紺屋《こうや》の白袴《しろばかま》**……紺屋は、藍染の染物屋。紺屋が仕事に追われると、自分の袴を染める余裕がなくなり、白い袴しかはけなくなる。そこから技術をもちながら、他人のために忙しく、自分にその技術を役立てられないことのたとえ。似た言葉に「医者の不養生」がある。

□**瓜《うり》の蔓《つる》に茄子《なすび》はならぬ**……瓜の蔓に茄子の蔓を無理につなごうとしても、茄子とならないのと同じように、平凡な親から、非凡な才能をもった子は生まれないこと。同じ意味で「へちまの種は大根にならぬ」というものもある。

□**鵙《いすか》の嘴《はし》の食《く》い違《ちが》い**……鵙はスズメ科の鳥で、冬の日本で越冬する。その鵙の嘴は、上下が食い違っている。その食い違った嘴のおかげで固い物も食い切ることができるのだが、人の目には不便に見える。そこから物事が食い違い、思いどおりにならないことのたとえになった。

□いずれ菖蒲《あやめ》、杜若《かきつばた》……菖蒲も杜若も、ともに初夏に咲く花で美しい。そこから優劣つけがたいほど、どちらも優れていること、素晴らしすぎて選択ができない様を指す。美女が何人も揃ったとき、「いずれ菖蒲か杜若だね。目移りして困るよ」などと用いる。

□畳《たたみ》の上《うえ》の水練《すいれん》……「畳水練」も同じ。理屈や方法をよく知っていても、実際の経験もなく、練習していないため、何の役にも立たないこと。畳の上でどんなに水泳の真似事をしても、泳げるようにはならないことにたとえた言葉。

□月《つき》に叢雲《むらくも》、花《はな》に風《かぜ》……満月の月見の邪魔をするのは雲で、満開の桜の花見を妨げるのは風である。そこから、とかくいいことには、邪魔が入りやすいことのたとえ。世の中は、自分の思うようにはならないことのたとえでもある。

□月夜《つきよ》に釜《かま》を抜《ぬ》かれる……明るい月夜に、大切にしていた釜を盗まれるように、ひどく油断するたとえ。「月夜に釜」「月夜に釜を抜く」も同じ。「国内旅行でも、月夜に釜を抜かれるほど油断していると、所持品を盗まれかねない」などと用いる。

□**天網《てんもう》恢恢《かいかい》疎《そ》にして漏《も》らさず**……「恢恢」は、広く大きい様。「疎」は、物と物の間がまばらなこと。天の張り巡らせた網は広く大きく、かつ目が粗いが、悪人は一人も漏らすことなく、処罰するという意味。悪いことをすれば、かならず処罰されることのたとえ。

□**泣《な》いて馬謖《ばしょく》を斬《き》る**……馬謖は、中国の三国時代、蜀の軍師・諸葛孔明が目をかけていた将軍。馬謖が軍規を破ったために蜀軍が敗れたとき、孔明は軍規を守るため、泣く泣く馬謖を死刑にした。そこから規律を守るためには、私情を捨てて愛する者を処罰することを意味する。

□**六日《むいか》の菖蒲《あやめ》**……時機に遅れてしまい、役に立たないもののたとえ。五月五日の端午の節句には菖蒲湯を沸かすために菖蒲が必要だが、六日に菖蒲があっても役に立たないところから。

□**孟母《もうぼ》三遷《さんせん》の教《おし》え**……教育には環境が重要であるたとえ。中国の思想家・孟子の母は賢母で有名で、はじめは墓場、つぎに市中、三度目には学校の近くに引っ越した。学校の近くに住むと孟子は礼儀作法の真似をするようになったという故事から。

□**洛陽《らくよう》の紙価《しか》を高《たか》める**……中国・晋の時代の洛陽で、左思の『三都賦』という本が評判になって、多くの人がこれを書き写したため、洛陽では紙の値段が高くなったという故事がある。そこから、著書が好評を博して、ベストセラーになること。

□**板子《いたご》一枚下《いちまいした》は地獄《じごく》**……船乗りや漁師稼業が、いかに危険な仕事かを表す言葉。板子とは、和船の船底に敷いた上げ板。板子の下は荒海であり、船から落ちてしまえば命はないことから。将来、恐ろしい災難が待っている様も指す。

□**雨垂《あまだ》れ石《いし》を穿《うが》つ**……雨垂れでも同じ場所に落ち続けると、石に穴を開けてしまう。同じように、たとえ微力でも、根気よく続けていれば、いつかは成功することのたとえ。「雨垂れ石を穿つような、地道な努力が大切だ」などと用いる。

□**木《き》に縁《よ》りて魚《うお》を求《もと》む**……木から魚をとろうとしても捕れるわけがないことから、方法を誤れば、物事は成功しないということ。中国の思想家・孟子が、梁の王をいさめるときに使った言葉。「開発グループに営業を行わせるとは、木に縁りて魚を求むようなものだ」などと用いる。

特集3
日本語「読み分け」の法則

1 簡単なのに意外とできない「読み分け」

漢字	読み	意味
上手	うわて	技量、学問、知識などが、他よりさらに優れていること。
	かみて	舞台の客席から見て右のほう。
	じょうず	物事のやり方が巧みなこと。手ぎわがよいこと。
利益	りえき	事業などで得る儲け。ためになること。
	りやく	神仏から授かる恵み、御利益のこと。
末期	まっき	物事の終わりに近いころ。
	まつご	人の死に際のこと。「末期の水」はこちらの意。

大勢	おおぜい	多くの人のこと。
	たいせい	物事の一般的な傾向。世のなりゆきのこと。
仮名	かな	かたかな、ひらがなのこと。
	かめい	実名を避けた仮の名前。
色紙	いろがみ	折り紙に使う色のついた紙のこと。
	しきし	和歌や俳句、書画などを書く四角い厚手の紙。
市場	いちば	商品を売り買いする場所のこと。
	しじょう	商品やサービスの取引きをめぐる経済用語。
見物	けんぶつ	催し物や名所旧跡を見て楽しむこと。
	みもの	見るだけの値打ちがあるもの。
寒気	かんき	冷たい空気、寒さのこと。
	さむけ	病気や恐怖で不愉快な寒さを感じること。
大事	だいじ	重要なこと。
	おおごと	重大なアクシデントという意味になる。

生物	なまもの	加工していない、生の食べ物。
	せいぶつ	動物、植物、微生物などの総称。
	いきもの	生物の中でも、とくに動物を指す。
額	がく	書画を室内の壁にかけておくための枠や、金銭の数量を意味する。
	ひたい	おでこのこと。

2 きちんと覚えておきたい「読み分け」

脂	あぶら	動物や脂肪から取れる水よりも軽い、可燃性物質のこと。
	やに	樹木などの分泌する粘液のこと。
一寸	いっすん	尺貫法の長さの単位で一尺の一〇分の一のこと。およそ三センチ。
	ちょっと	数量・時間などがわずかなこと。
銀杏	いちょう	イチョウ科の裸子（らし）植物。秋に黄葉する高木。
	ぎんなん	イチョウの実のこと。
一分	いちぶ	重さ・長さ・割合などの単位。一割の一〇分の一。ごくわずかなことのたとえ。
	いちぶん	映画のタイトル『武士の一分』にもあるように、一人前の人間としての名誉。
	いっぷん	時間の単位。

心中	しんじゅう	愛し合う男女がともに自殺すること。
	しんちゅう	内心のこと。
高潮	こうちょう	物事の勢いや調子が極度に高まること。
	たかしお	台風や低気圧の通過により、海水面が上昇する現象のこと。
人気	にんき	世間の評判のこと。
	ひとけ	人のいる様子。
術	じゅつ	技術や策略のこと。
	すべ	手段や手立て。
大家	おおや	貸家の持ち主。
	たいか	ある分野で優れた技能や見識をもっている人。
	たいけ	名士やお金持ちの家のこと。
名代	なだい	評判の高いこと。有名なこと。
	みょうだい	代わりを務める人のこと。
背筋	せすじ	背中の中心線。背骨の外側のくぼんだ部分のこと。
	はいきん	背中の筋肉の総称。

素振り
すぶり　バットやゴルフクラブ、竹刀などを練習のために振ること。
そぶり　表情や態度、動作に現れた様子のこと。

3 知ってるだけで差がつく「読み分け」

気質
きしつ　職業や地位、年齢層などを同じくする人たちに特有の気風や性質のこと。
かたぎ　気立て、気性のこと。

書下し
かきおろし　小説や論文を、新聞や雑誌に掲載せずに、直接、単行本として出すこと。
かきくだし　漢文を日本語のように読みくだした仮名まじり文のこと。

黒子
くろご　役者や人形遣いの後ろで介添えする人のこと。そこから、表に出ない裏方、参謀などを指す。黒衣とも書く。
ほくろ　顔や体にある斑点のこと。

芥子
からし　調味料のカラシのこと。
けし　阿片の原料になるケシ科の植物。

造作
ぞうさ　手間や費用がかかること。面倒なこと。
ぞうさく　造ること、家を建てること。あるいは、顔の目や鼻のつくり。

語	読み	意味
声明	せいめい	自分の立場や考えを世間に向けて発表すること。
	しょうみょう	仏教の経文を読み上げる声楽のこと。
最中	さいちゅう さなか	動作や状態がもっとも盛んな状態にあるとき。
	もなか	おなじみの和菓子。
爪弾き	つまはじき	人を嫌って除け者にする意味。
	つまびき	ギターなどの弦楽器を指先ではじいて鳴らす意味。
評定	ひょうじょう	人々が集まり、相談して決めること。
	ひょうてい	品質・等級などを評価すること。
変化	へんか	変わること。
	へんげ	神仏が姿を変えて現れること。

Step 8

気になる語源の本当の話

1 そんな由来があったのか

□**タカをくる**……この「タカ」は収穫高や生産高の「高」。「高をくくる」は、もとは単に「数量を数える」という意味だったが、検地役人のルーズな仕事ぶりから、いいかげんに算出するという意味になり、やがて「相手を見くびる」という意味に変化した。

□**几帳面**《きちょうめん》……「几帳」は『源氏物語』や『枕草子』にも登場する衝立《ついたて》のような仕切りのこと。この几帳の角を削って装飾を施した部分を几帳面と呼び、それが丁寧に細工してあるところから、性格的にきちんとした人を「几帳面」と呼ぶようになった。

□**大丈夫**《だいじょうぶ》……「丈」は古代中国の長さの単位で、大人になって身長が一丈に近づいた男性を「丈夫」と呼んだ。さらに、丈夫の中の丈夫を「大丈夫《だいじょうぶ》」と呼ぶようになり、その言葉が日本に伝わって、体が頑健なことを表すようになり、やがて「間違いない」という意味にも変化した。

□**はめをはずす**……馬を調教するときは、まず「はみ」と呼ばれる綱を馬に噛ませる。これを噛ませると、馬はおとなしくなるが、はずそうものなら、暴れ馬に戻ってしまう。この「はみ」が「はめ」に転化し、調子にのって度を超した大騒ぎすることを「はめをはずす」というようになった。

□**相棒**《あいぼう》……人を乗せる駕籠《かご》は、棒の前後をかつぐ二人の息が合わないと、うまく運べない。そこから、仕事のいちばんの仲間を「相棒」と呼ぶようになった。

□**油**《あぶら》**を売**《う》**る**……江戸時代、油の行商人は、お客の家で油を容器に移す際、油がこぼれないよう、たらりたらりとゆっくり入れなければならなかった。その間、油売りはお客と世間話をして時間をつぶすことが多かった。そういうのんびりした仕事ぶりから、怠けることを意味するようになった。

□**赤**《あか》**の他人**《たにん》……赤という言葉には「明るい」「目立つ」というニュアンスが含まれている。そこから「はっきりしていること」という意味が生じ、赤の他人は「まぎれもない他人、まったくの他人」のことになった。「真っ赤な嘘」も同様。

□めじろ押《お》し……この「めじろ」は鳥のメジロ。メジロには、繁殖期になると、隙間がないほどに群れて、枝の上に並んで仲間と押し合う習性がある。その様子を混雑した場所で、人間が押しあいへしあいする様子に見立てた言葉。

□長丁場《ながちょうば》……江戸時代、仕事の受持ち区域を「丁場」と呼んでいた。馬子や駕籠かきの受持ち区域も「丁場」と呼ばれ、やがて宿場間の距離が長いことを「長丁場」というようになった。それが、時間の長さにも用いられ、現在の意味になった。

□カモにする……これは、鳥の鴨のこと。鴨は渡り鳥で、集団で行動する。そこで、猟師は、鴨が明け方に集団で帰ってくる習性に目をつけ、網を張って待ち、鴨たちを一網打尽にした。鴨は簡単に捕れる愚かな鳥というところから、博打などで弱い人のことを「カモ」というようになった。

□大黒柱《だいこくばしら》……一家や組織を支える人をこう呼ぶが、もとは建物全体を支える柱のこと。いくつかの説があるが、一説には、七福神の「大黒様」に由来するという。大黒様は、出世開運の神であるとともに、台所・食べ物の神様。そこで、昔の人は、台所に大黒様を祀り、その台所と座敷の境にあったのが、いちばん太い柱。そこから「大黒柱」というようになったという。

□**でたらめ**……サイコロ博打では、どんな目が出るかは、その日の運しだい。そこで博徒たちは、何が出るかわからないサイコロの目を「出たら目」と呼んだ。そこから、根拠もない作り話という意味になり、やがて常識はずれのふるまいのことも、こう表現するようになった。

□**お勝手《かって》**……弓道では、弓を支える左手を「押し手」、自由に動かせる右手のことを「勝手」と呼ぶ。そこから、女性が「自由」に使える台所を「お勝手」と呼ぶようになった。昔は、主婦が思いどおりに使える場所は、台所ぐらいだったのだ。

□**とんちんかん**……昔、鍛冶屋からは、「とんかん、とんかん」と槌打つ響きが聞こえてきたものだが、腕の悪い鍛冶屋からは、調子はずれの音が響いてきた。鍛冶屋では、二人の職人が交互に打つことが多いが、下手な鍛冶屋が打つとリズムがそろわないからだ。そこから、調子はずれ、物事が行き違いになることを「とんちんかん」と表現するようになった。

□さじを投《な》げる……この「さじ」は、食事に使うスプーンではなく、薬を調剤するさじのこと。医者が手の施しようのない患者を見放し、調剤用のさじさえ投げ捨てるというのが、この言葉の起こり。そこから、手の打ちようもなくなり、あきらめることをいう。

□杓子定規《しゃくしじょうぎ》……「杓子」とは、しゃもじのこと。しゃもじは湾曲した形をしているので、定規代わりに使ったところで、まっすぐな線は引けない。そこから、役に立たない人のこと、習慣や考えにとらわれて、応用がきかないことをこう呼ぶ。

□おふくろ……鎌倉時代、武家の主婦は、家内のことに関しては一家の中心で、一家の財産を入れた「袋」を管理していた。この袋を預かるところから、主婦は「御袋様」と呼ばれ、それが室町時代、「おふくろ」と略されて庶民にも広まった。

□ひもじい……古語の「ひだるい」は、おなかがすいてたまらないという意味。ただし、これは庶民の言葉。身分の高い女性はこの言葉を使うことを避け、隠語化してひだるいの「ひ」だけをとり、「ひ文字」といった。それが形容詞化して「ひもじい」となった。

□**はくがつく**……この「はく」は「箔」と書き、金属を叩いて紙のように薄く延ばしたもののこと。金箔や銀箔を工芸品などに張ると、美しく仕上がるところから、人の値打ちや位、格が上がることにたとえられるようになった。

□**足**《あし》**もとを見**《み》**る**……昔の旅は徒歩旅行だったので、疲れると、文字どおり一歩も動けなくなることがあった。そんなときに、駕籠かきと値段を交渉すれば、駕籠かきは、旅人の弱った足もとを見て、何倍もの金額をふっかけてきた。そこから、交渉などで相手の弱みにつけ込むことを「足もとを見る」というようになった。

□**うだつがあがらない**……この「うだつ」には、二つの語源説がある。一つは、家屋の棟木《むなぎ》を支える「うだち」と呼ばれる短い柱に由来するという説。うだちは、屋根の下にあって押さえつけられているところから、人に頭のあがらない人を「うだつ（うだち）があがらない」と表現したという。
もう一つは、建物の外側に張り出た飾り塀の「卯建《うだつ》」に由来するという説。卯建は、豊かな家でなければつくることができなかったので、卯建を建てられない人は、「卯建があがらない」と馬鹿にされるようになったという。

□折紙付《おりがみつ》き……昔は、紙を半折りにしたものも「折紙」と呼んだ。江戸時代になると、刀の鑑定書に二つ折りの紙を用いたところから、「折紙付き」という言葉が生まれ、現在の意味で広まった。

□大《おお》げさ……この語源には二つの説がある。一つは、剣術で、肩先から斜めに斬りさげることを「袈裟斬り」といい、この技を鮮やかに決めたときは「大袈裟」と呼んだ。これが剣術以外にも、日常的に用いられるようになったという。
もう一つの説は、僧侶の袈裟に由来するもの。鎌倉時代、臨済宗の開祖栄西を快く思わない僧たちが、栄西の袈裟がほかよりも大きいことに目をつけ、「あの大袈裟めが……」と皮肉をこめていうようになった。それが、「大げさ」のはじまりだともいう。

□鞘当《さやあ》て……江戸時代、往来で武士の魂である刀の鞘がぶつかり合おうものなら、武士の魂を汚したと、互いに刀を抜き合うこともあった。これが「鞘当て」という言葉のルーツ。そこから、「恋の鞘当て」などと、もめごと一般を意味するようになった。

□**たらふく**……魚のタラは、深い海に暮らしているので、あまりエサに恵まれない。そこで、食べられるときには、腹がはちきれんばかりに食べておく習性がある。そこから、満腹状態のことを「たら腹」というようになった。

□**毛《け》嫌《ぎら》い**……この「毛」は、人間の毛ではなく、馬の毛。馬は、交配の相手を人間によって決められるが、馬にも相手が気に入らない場合がある。そういうとき、昔の人は「毛の色が気に食わないのだろう」と考え、この言葉が生まれた。

□**首《くび》っ丈《たけ》**……首っ丈は、本来は足もとから首までの長さのこと。そこから、足もとから首までどっぷりはまり込むほどに、「とても好き」「たいへん愛している」という意味になった。

□**にっちもさっちも**……もとは算盤用語で、割り算の計算法で使う「二進」「三進」がなまったもの。どう算盤をはじいてみても、金銭のやりくりがつかないときがある。そういう状態を「二進《にっち》も三進《さっち》もいかない」というようになった。

2 ちょっと不思議なあの言葉

□めりはりが利《き》く……雅楽では、少し音を下げることを「めり（減り）」、高い音で演奏することを「はり（張り）」という。そこから、邦楽で「めりはりが利く」といえば、声の高低や抑揚の表現が効果的で、ツボをおさえているという意味。それが一般にも広まった。

□打《う》ち合《あ》わせ……これも邦楽用語。邦楽には指揮者がいないため、演奏者同士でよく調子を合わせておく必要がある。その鼓を打って拍子を合わせる練習を「打ち合わせ」といった。そこから、いろいろと事前に相談するという意味が生じた。

□駄《だ》目《め》押《お》し……「駄目」は、もとは囲碁用語。地の増減に影響がなく、勝敗に関係がない場所のことで、そんなところに石を打っても無駄なところから、「駄目」というようになった。「駄目押し」は、その無駄なことをあえてするところから、念には念を入れ、手を尽くすという意味。

□**おはこ**……この「おはこ」は、もとは歌舞伎の市川家にあった箱のこと。幕末、七代目市川団十郎は、先祖の得意芸から十七演目を選び、自身が創作した「勧進帳」を加えて「歌舞伎十八番」と命名した。その後、市川家では、みだりに上演してはならぬと、箱に納めたところから、得意なこと、権威あるものをこう呼ぶようになった。また「十八番」と書いて「おはこ」とも読むようになった。

□**二《に》の舞《まい》**……「安摩《あま》」という舞曲は、「一の舞」と「二の舞」に分かれ、「二の舞」の踊り手は、滑稽な姿で一の舞を真似て踊ろうとする。ところが、うまく真似られず、滑稽なものになる。この舞曲の構成から、「二の舞」という言葉が生まれた。

□**二《に》の句《く》がつげぬ**……雅楽の朗詠から生まれた言葉。漢詩や和歌では、最初から初めの区切りまでを「一の句」、次の区切りまでを「二の句」と呼ぶ。朗詠する際、一の句から二の句に移るときに音が高くなることが多く、二の句が詠めなくなることがあった。そこからこの言葉が生まれ、「驚き呆れて、次の言葉が出てこない」という意味になった。

□**どんでん返《がえ》し**……江戸時代、上方《かみがた》に並木正三という歌舞伎作者がいた。彼は舞台装置の作り手でもあり、「がんどう返し」という床の部分が九〇度後ろにひっくり返る仕掛けを考え出した。この仕掛けが披露されるときは、大太鼓がドン・デン・ドン・デンと鳴ったところから、ものごとがひっくり返ることを「どんでん返し」というようになった。

□**とことん**……昔、踊りの世界では、かかとで踏む足拍子を「とことん」と呼び、その足拍子は、踊りの最後に用いることが多かったため、踊りの所作を最後まできちんと終えることを「とことんまでする」というようになる。そこから、踊り以外でも、最後の最後まで行うことを「とことん」と形容するようになった。

□**差《さ》し金《がね》**……人をそそのかして陰で操ることを「差し金」というが、もとは歌舞伎界で使われていた言葉。舞台の上では、鳥や蝶などの小道具に針金をつけて、後ろから操る。その針金のことを「差し金」というのだ。

□**突《とっ》拍《ぴょう》子《し》もない**……平安時代末に流行した「今様歌《いまよう》」には、単調な曲が多かったため、一部に眠気覚ましのような役割を果たす拍子が盛り込まれた。それが「突拍子」で、それまでの音階から、音声を瞬間的に四度上に上げ、ただちに戻すというもの。突拍子はユニークな発声法だったので、そこから度はずれた、とんでもないという意味が生じた。

□花道《はなみち》……平安時代には毎年七月、帝が力士を集めて相撲を見る節会《せちえ》相撲が開かれていた。その際、力士は頭に造花をつけて入場した。つまり「花道」は、頭に花を飾って歩く力士にちなんで生まれた言葉。のちに歌舞伎でも使われるようになった。

□二枚目《にまいめ》……昔、歌舞伎を興業するときは、一座の役者八人を絵姿にした八枚の看板を劇場前に並べるのが習わしだった。その看板の二枚目には色男の役者が掲げられたところから、美男子全般に用いられるようになった。なお、三枚目には道化役の看板を掲げたことが、「三枚目」の語源。

□合点《がてん》……もとは歌会や句会で、自分がいいと思う歌や句に印をつけることを「合点」といった。他人の歌や句をみて、いいと思うものには「合点」をつけ、劣っているものには「合点」を与えなかったわけだ。「へい、がってんだ」というのは、この風流な世界を飛び出して、庶民の間で生まれた言葉。

□**月並**《つきなみ》……明治時代、俳人の正岡子規《まさおかしき》は、マンネリ化した月例句会で詠まれるような凡庸な俳句を「月並調」と批判した。この子規の造語を一般に広めたのは、子規の友人の夏目漱石。『吾輩は猫である』をはじめ、数々の作品の中でこの言葉を使ったのである。

□**のろま**……江戸時代、野呂松勘兵衛という人形浄瑠璃の人形づかいの名手がいた。彼は、とくに汚い服装をまとった人形をあやつることを得意とし、彼の人形の役柄は今でいう「のろま」なものが多かった。やがて、彼の操る人形は「野呂松人形」と呼ばれ、そこから「のろま」という言葉が生まれ、動作が鈍いこと、愚かなことを意味するようになった。

□**うんともすんともいわぬ**……まったく一言もない様子のこと。一説では江戸時代の寛永期、オランダ伝来の「うんすんカルタ」が大流行した。ところが、ブームはすぐに去ってしまう。そのブーム後の静けさをこう表現したのだという。

□**けれん味**《み》**がない**……これも、もとは演劇界の言葉。義太夫では、正統な調子をはずして語ることを「外連《けれん》」と呼び、芝居の世界でも、俗受けを狙うことをこう呼んだ。

そこから「けれん味」は技巧に走った芸や技のことを指し、「けれん味がない」はその反対なので、本道に忠実な芸を指すようなった。

□**お山《やま》の大将《たいしょう》**……小高い丘などで、他の子を押しのけながら、最初に頂上に登ったり、最後まで頂上に残ることを競う子どもの遊びがあった。そこから、小さなグループで、自分がいちばん偉いと、子どもっぽく得意がる様子を「お山の大将」というようになった。

□**ピカ一《いち》**……「ピカ」は花札の中の「光り物」のこと。「八八」という花札のゲームには手役があり、配られた七枚の持ち札が一枚だけ光り物で、残り六枚がカスの場合、「ピカ一」といって、役代がもらえることになっている。そこから、数ある中から、一つだけ抜きん出ているもののことを「ピカ一」と呼ぶようになった。

3 歴史のなかで生まれた言葉

□**がらんとする**……寺院は、大勢の人が集まれるように、天井が高く、中を広々と造ってある。そこで、建物の中が広々としている様子を、寺院の別名である「伽藍《がらん》」

を用いて、「伽藍としている」というようになった。

□**がたぴし**……漢字では「我他彼此」と書き、仏典に出てくる言葉。我と他、彼と此が対立し、もめごとが絶えないという意味から、物がぶつかったときの音として使われるようになった。「立てつけが悪くて、がたぴしする」など。

□**金輪際**《こんりんざい》……仏教の教えに由来する言葉。仏典によれば、大地の下には世界を支える四つの輪（三つとする場合もある）があり、大地のすぐ下にあるのが金輪で、その部分は大地の最下底に当たる。そこから、「金輪際」で物事の極限という意味になった。

□**しっぺい返**《かえ》**し**……「竹篦」と書き、もとは禅宗の僧侶が用いる竹製の道具のこと。座禅を組むときは、邪念を払うため、このしっぺいで肩を打つ。「しっぺい返し」が、仕返しを意味するようになったのは、仏教思想の因果応報が関係しているとみられる。人を傷めつけると、結果は自分に返ってくるという考え方だ。

□**藪医者**《やぶいしゃ》……この言葉には、いくつかの語源説がある。最も有力なのは、野巫《やぶ》が転化したという説。野巫は、祈禱をして神のお告げを聞く三流の巫女のことで、そこから呪術まがいの腕しかない怪しい医者を「やぶ医者」と呼ぶようになったという。

□火《ひ》の車《くるま》……仏教用語の「火車《かしゃ》」に由来する。火車は、地獄に堕ちてきた罪人を乗せて、地獄中をひきまわし、責めさいなむ車。車自体も燃えているのだから、それこそ地獄の責め苦である。そこから、借金の苦しみ、借金生活を意味するようになった。

□台無《だいな》し……お釈迦様の像は、蓮の花の上に座っていることが多いが、その台座は仏様の威厳を表現するには欠かせないもので、台座がないと仏像は形をなさない。そこから、「台無し」という言葉が生まれた。

□足《あし》を洗《あら》う……その昔、インドの僧侶は、裸足で托鉢に出かけ、一日の務めを終えて寺院に戻ると、汚れた足を洗い清めた。その行為には、体を清め、心身ともに清浄になるという意味が含まれていた。それが、日本では身の汚れを清めるという意味から、博徒などがまじめな暮らしに戻るという意味で使われることになった。

□ごたくをならべる……「ごたく」は神様の「御託宣」を省略したもの。信心深い人にとって、ありがたい御託宣も、信仰心のない者にとっては、さしたる意味はない。そこから、くどくど述べることを「ごたくを並べる」というようになった。

□**おだをあげる**……この「おだ」は日蓮宗の「お題目」を縮めたもの。鎌倉時代、日蓮宗は、幕府だけでなく、ほかの宗派とも対立した。そのなかで、信徒たちは一心不乱にお題目を唱えたが、弾圧側や他の宗派を信仰する者にはうるさく聞こえたので、人の迷惑も考えず、うるさく騒ぐという意味になった。

□**ずた袋《ぶくろ》**……漢字では「頭陀袋」と書く。「頭陀」とは、仏教修行の旅を続ける僧のこと。頭陀たちが首から下げていたのが「ずた袋」で、その姿は現世の欲望を断ったという証《あかし》でもあった。いっさいの欲望を捨てた僧侶の持ち物は、ずた袋一つで十分だったというわけだ。

□**後《あと》の祭《まつり》**……京都・八坂神社で行われる祇園祭《ぎおんまつり》は、前《さき》の祭と後の祭に分かれていた。いちばんの見せ場は、前の祭の山鉾《やまほこ》巡行で、後の祭は前の祭に比べると、いささか地味。そこから、チャンスをのがすことを「後の祭を見に行くよう」と言うようになり、「後の祭」という形で今に残った。

□**てんてこ舞《ま》い**……江戸期後半の祭りでは、芸者が男装をして神輿の前を踊り歩くことがあった。その踊りはすばやく手足を動かすにぎやかなもので、「てこまい」と呼ばれた。やがてその踊りのように忙しい状態を「てこまい」と呼ぶようになり、口調をよくするため、「てん」という接頭語がついて「てんてこ舞い」となった。

□**関《せき》の山《やま》**……この「関」は実在の地名で、三重県の関町のこと。一方「山」は、祭りに使う「山車《だし》」のこと。関町・八坂神社の山車が、それ以上はないと言われたほど豪華なものだったことから、精いっぱいできる限界のことを「関の山」というようになった。

□**仏頂面《ぶっちょうづら》**……姿を変えて地上に下りてきた釈迦如来を「仏頂尊」と呼ぶ。仏頂尊は威厳に満ちているが、恐ろしい面相にも見えるところから、不機嫌な怖い顔のことを「仏頂面」と呼ぶようになった。

□**えたいがしれない**……一説には、この「えたい」は「衣体」、つまり僧侶の衣のこと。昔は、衣の形や色から、僧侶の宗派や格がわかったのだが、ときには衣からは判断できない僧もいた。そんな僧を見て、人々は「あのお坊さんは、えたいがしれない」といったのだ。

□お払《はら》い箱《ばこ》……もとは「御祓箱」と書き、伊勢神宮から信者たちに毎年配られた御祓いされたお札や薬などを入れた箱のこと。大切なものではあるが、毎年配られたため、新しいものが届くと、前年のものは不要になる。そこから、不要のものをこう呼ぶようになった。

□薬玉《くすだま》……薬玉は、もとは五月五日の端午《たんご》の節句に飾られた飾り物の一つ。「薬玉」と書くことでもわかるように、中に薬草を入れ、健康と長寿を願うためのものだった。それが、現代では、運動会などで使われているというわけだ。

□食指《しょくし》が動《うご》く……食指は人さし指のことで、次のような中国の故事が語源になっている。鄭《てい》の霊公に呼ばれた宋は、友人の子家とともに屋敷に出向いた。すると、宋の食指がぴくりと動き、彼は子家に「今日は珍味が味わえるぞ」と告げた。案の定、豪勢な料理が出てきたが、霊公は意地悪をして宋たちには料理を食べさせなかった。すると、宋と子家は霊公を恨むようになり、のちに霊公を殺してしまう。この故事から、食欲が生じる、欲望をそそられることをこういうようになった。

□細君《さいくん》……中国の漢の時代、武帝に仕えていた東方朔という男が、肉を無断で持ち帰って発覚、帝にとがめられた。そのとき、東方朔はおどけてみせ、「持ち帰った肉を細君にやるとは、なんと情深いことでしょう⁉」と、自分で自分のことをほめた。これが帝に受けたという逸話から、自分の妻を「細君」と呼ぶ言葉が生まれた。

□孫《まご》の手《て》……もとは「麻姑《まこ》の手」と書く。麻姑は中国の仙女で、鳥のように長く鋭い爪をもち、その爪でかいてもらうと、なんともいえず気持ちがよかったという。そこから、背中などをかく棒を「麻姑」と呼ぶようになり、やがて日本では、棒の先の形が孫の手のようにかわいいこともあって、「孫の手」と呼ばれることになった。

4　習慣から生まれた言葉

□昔《むかし》とった杵柄《きねづか》……杵を使って餅をむらなくつくには、熟練の技術が必要だが、その技術は一度身につけると簡単に忘れることはない。そこから、ブランクがあっても、衰えない腕前のことを「昔とった杵柄」と呼ぶようになった。

□**つつがない**……昔、新潟、山形、秋田などには、ダニの一種の幼生「つつが虫」が多数生息していた。つつが虫にさされると高熱にうなされ、死亡率は四〇％にも達した。そこから、無事に暮らすことを「つつがなく」（つつが虫がいない）というようになった。

□**駆《か》け落《お》ち**……もとは「欠け落ち」と書き、江戸時代には一般庶民の失跡、人別帳から欠け落ちることを意味した。やがて、一緒になることを許されない男女が逃げることを指すようになった。

□**用心棒《ようじんぼう》**……もとは、警備用の木の棒のこと。商家や各家庭が、泥棒の用心のために備えていた棒をこう呼んだのだ。この棒の名前から、警護者を意味するようになった。

□**大風呂敷《おおぶろしき》を広《ひろ》げる**……昔、銭湯で衣服を脱ぐと、大きな布、つまり風呂敷に包んでおいた。裕福な人は、銭湯に行く際も荷物が多く、そのぶん風呂敷も大きかった。そこから、必要もないのに大風呂敷を持ってくることが、見栄を張るといった意味になった。

□**溜飲《りゅういん》を下《さ》げる**……「溜飲」はもとは医学用語で、げっぷや喉元に上がってくる酸っぱい胃液をいう。それらが消えると、気持ちがいいところから、不平不満が解消され、気分がよくなることを「溜飲が下がる」というようになった。

□**おけらになる**……コオロギに似た虫のケラは、捕まえると両手（前脚）を上げてバンザイのようなポーズをとる。その姿が「お手上げ」にも見えるので、文無しになることを「おけら」というようになった。

□**札《ふだ》つき**……江戸時代の人別帳は当時の戸籍で、素行が悪く、親から勘当された者は、人別帳から名前を抹消された。また、将来、そうなりそうな素行の悪い者には、前もって札をつけることがあった。そこから「札つきの悪」といった言葉が生まれた。

□**土左衛門《どざえもん》**……水死体を指す「土左衛門」は、実在の人物名にちなむ言葉。水死すると、体内にガスがたまり、人間の体は大きくふくれあがる。その姿が、享保年間に活躍した人気力士・成瀬川土左衛門に似ていたため、「土左衛門」と呼ばれるようになった。

□**土壇場**《どたんば》……江戸時代、罪人の処刑をする際、土を盛り、罪人を寝かせた場所が「土壇場」と呼ばれていた。そこから転じて、せっぱつまった場面、決断を迫られる場面という意味となった。

□**どら息子**《むすこ》……江戸時代、時刻を知らせるときには、鐘のほかに銅鑼《どら》（鉦《かね》）を鳴らした。そこから、遊廓では「鉦を撞《つ》く」を「金を尽く」とシャレて、客がお金をどんどん使うことを「銅鑼を打つ」と呼ぶようになる。そんなバカげた遊びをするのは、出来の悪い金持ちの息子たち。そこから、「どら息子」という言葉が生まれた。

□**行**《い》**きがけの駄賃**《だちん》……宿場から宿場へ荷物を運搬する馬子に支払う賃金のことを「駄賃」といった。馬子たちは、正当な賃金を荷主から受取っていても、ついでに他の荷物も引き受けて、駄賃を二重取りすることがあった。それを「行きがけの駄賃」といったわけだ。

□**後釜《あとがま》にすわる**……もともと「後釜」とは、かまどに残り火があるとき、次の釜をかけること。残り火がまだ燃えていれば、火を改めておこす必要はなく、手間がかからない。そこから、「後釜」は楽な仕事というわけで、そういう皮肉をこめて、前任者の功績を引き継げばいい後任者をこう呼ぶようになった。

□**濡《ぬ》れ衣《ぎぬ》を着《き》る**……一説には、これはシャレ言葉で、「衣が濡れるのは、蓑がないため」ということから、「蓑なき」を「実の無き（無実）」にかけたという。また、別の説では、昔、占いによって判決を下すことがあり、訴訟を争う二人に濡れた衣を着せて、衣服が早く乾いた者を正しいとすることがあったからだともいう。

□**やけぼっくいに火《ひ》がつく**……男女のヨリが戻るという意味だが、このやけぼっくいを漢字で書くと「焼け木杭」。一度、火がつき、燃えた杭や切株のことだ。焼け木杭は、火が消えたように見えても、何かのはずみで再び燃え出すことがある。そこから、いったん別れた男女が、何かのはずみで再び〝燃え始める〟ことを意味するようになった。

□**やまをはる**……この語源には諸説あるが、有力なのは「鉱山」に関係する説。昔、鉱山採掘を行う人は「山師」と呼ばれ、彼らは当たれば大儲けし、はずすと大きな借金を抱えることになった。そこから、鉱山にかぎらず、投機的な事業で金儲けを企《たくら》む人を「山師」と呼ぶようになり、カンや思いつきだけで仕事することを「やまをはる」というようになったという。

□**えいえいおう**……運動会などで集団で戦うとき、「えいえいおう!」と叫ぶことがあるが、これは昔、合戦に出陣する武士たちが士気を高めるためにあげた鬨《とき》の声の一つ。

□**チャキチャキ**……「チャキチャキの江戸っ子」というが、このチャキチャキは「純粋な」「正しい血筋の」という意味で、平安時代から使われてきた古い言葉。ただし、そのころは「嫡々」と書いて「ちゃくちゃく」と読んだ。のちにチャキチャキに変化した。

□**ネコババ**……漢字では「猫糞」と書く。ネコは排便後、その臭いを隠すために、後ろ足で砂をかけて隠す習性がある。そこから、他人のものを自分の懐に隠して知らんふりするという意味が生じた。

□**牛耳《ぎゅうじ》る**……春秋戦国時代の中国では、同盟を結ぶときに、牛の耳を割き、その血をすすり合う儀式が行われていた。その際、同盟の核となる人物が、まず「牛耳」をとって盟主となった。そこから、「牛耳を執《と》る」が盟主になることを意味するようになった。それが「牛耳る」と短縮化された。

◆参考文献

「言葉に関する問答集総集編」文化庁(大蔵省印刷局)/「新聞に見る日本語の大疑問」毎日新聞校閲部編(東京書籍)/「語源の楽しみ一〜五」「語源散策」岩淵悦太郎(河出文庫)/「井上ひさしの日本語相談」井上ひさし/「大岡信の日本語相談」大岡信/「大野晋の日本語相談」大野晋/「丸谷才一の日本語相談」丸谷才一(以上、朝日文庫)/「語源をつきとめる」堀井令以知、「漢字の知恵」遠藤哲夫(以上、講談社新書)/「ことばの紳士録」松村明(朝日新聞社)/「ことばの豆事典シリーズ」三井銀行ことばの豆事典編集室編(角川文庫)/「ことばの博物誌」金田一春彦(文藝春秋)/「日本語の知識百科」和田利政監修(主婦と生活社)/「暮らしのことば語源辞典」山口佳紀編(講談社)/「広辞苑」(岩波書店)/「広辞林」(三省堂)/「日本語大辞典」(講談社)/「成語林」(旺文社)/「故事・俗信ことわざ大辞典」(小学館)/ほか

※本書は、『大人の「国語力」が面白いほど身につく!』(小社刊/2006年)、『これだけは知っておきたい! 大人の「国語力」』(同/2007年)、『日本人ならおさえておきたい「国語」の常識力』(同/2008年)、『誰もが「勘違い!」なあやしい日本語』(同/2009年)を改題、再編集したものです。

編者紹介

話題の達人倶楽部
カジュアルな話題から高尚なジャンルまで、あらゆる分野の情報を網羅し、常に話題の中心を追いかける柔軟思考型プロ集団。彼らの提供する話題のクオリティの高さは、業界内外で注目のマトである。
本書では、敬語、慣用句、ことわざから、漢字、四字熟語、カタカナ語まで、「できる大人」が確実におさえている日本語の最重要ポイントを完全収録。自由自在に日本語を使いこなすための必読の一冊！

この一冊《いっさつ》で面白《おもしろ》いほど身《み》につく！
大人《おとな》の国語力《こくごりょく》大全《たいぜん》

2013年1月5日　第1刷
2013年7月20日　第10刷

編　　者　話題《わだい》の達人倶楽部《たつじんくらぶ》

発行者　小澤源太郎

責任編集　株式会社プライム涌光
電話　編集部　03(3203)2850

発行所　株式会社青春出版社
東京都新宿区若松町12番1号〒162-0056
振替番号　00190-7-98602
電話　営業部　03(3207)1916

印刷・大日本印刷　　製本・ナショナル製本

万一、落丁、乱丁がありました節は、お取りかえします

ISBN978-4-413-11083-9 C0081